キューバ
ハバナ下町《ヨルバ通り》歩きと
コロナ禍の日々

板垣真理子 著

彩流社

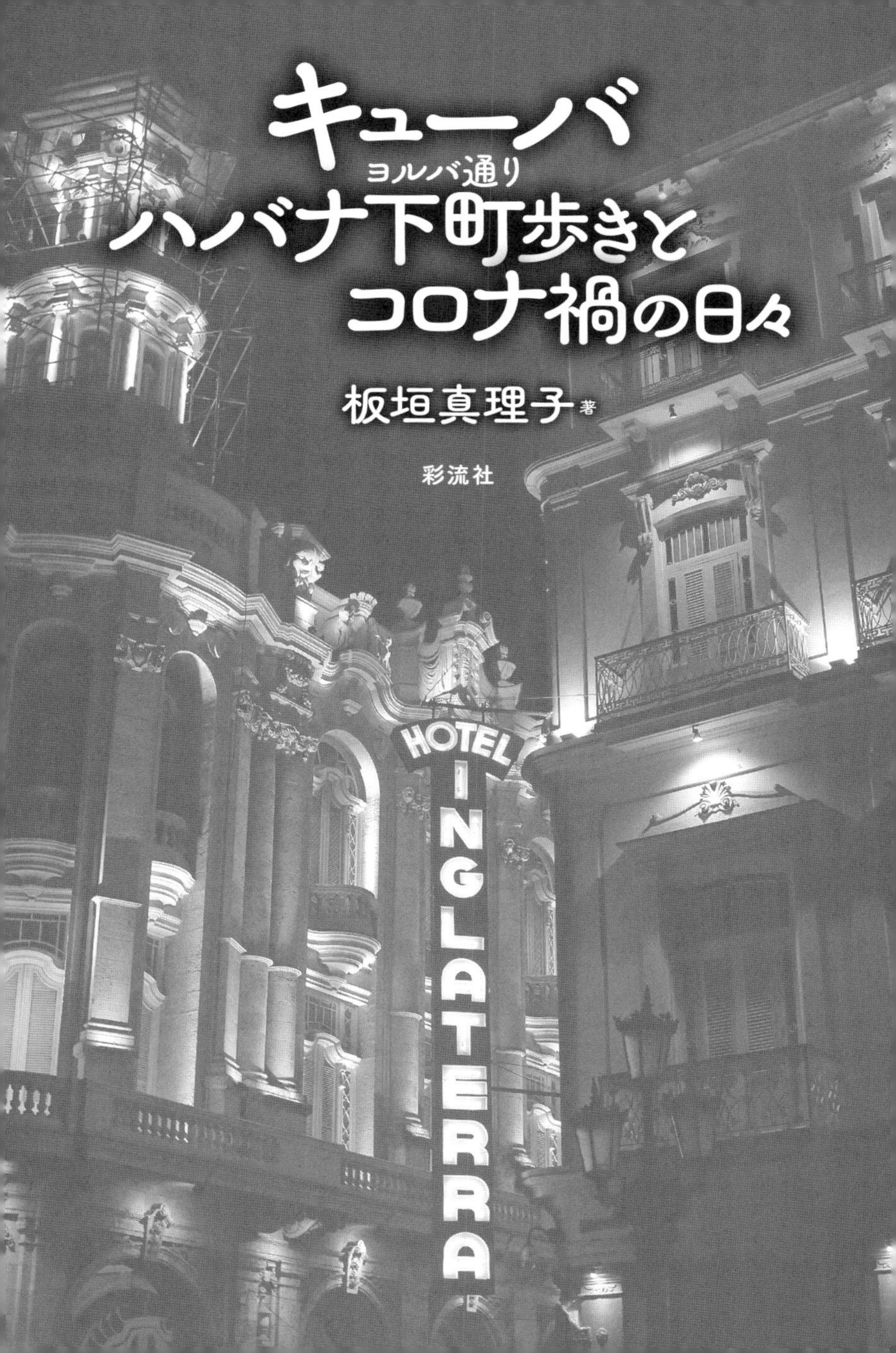

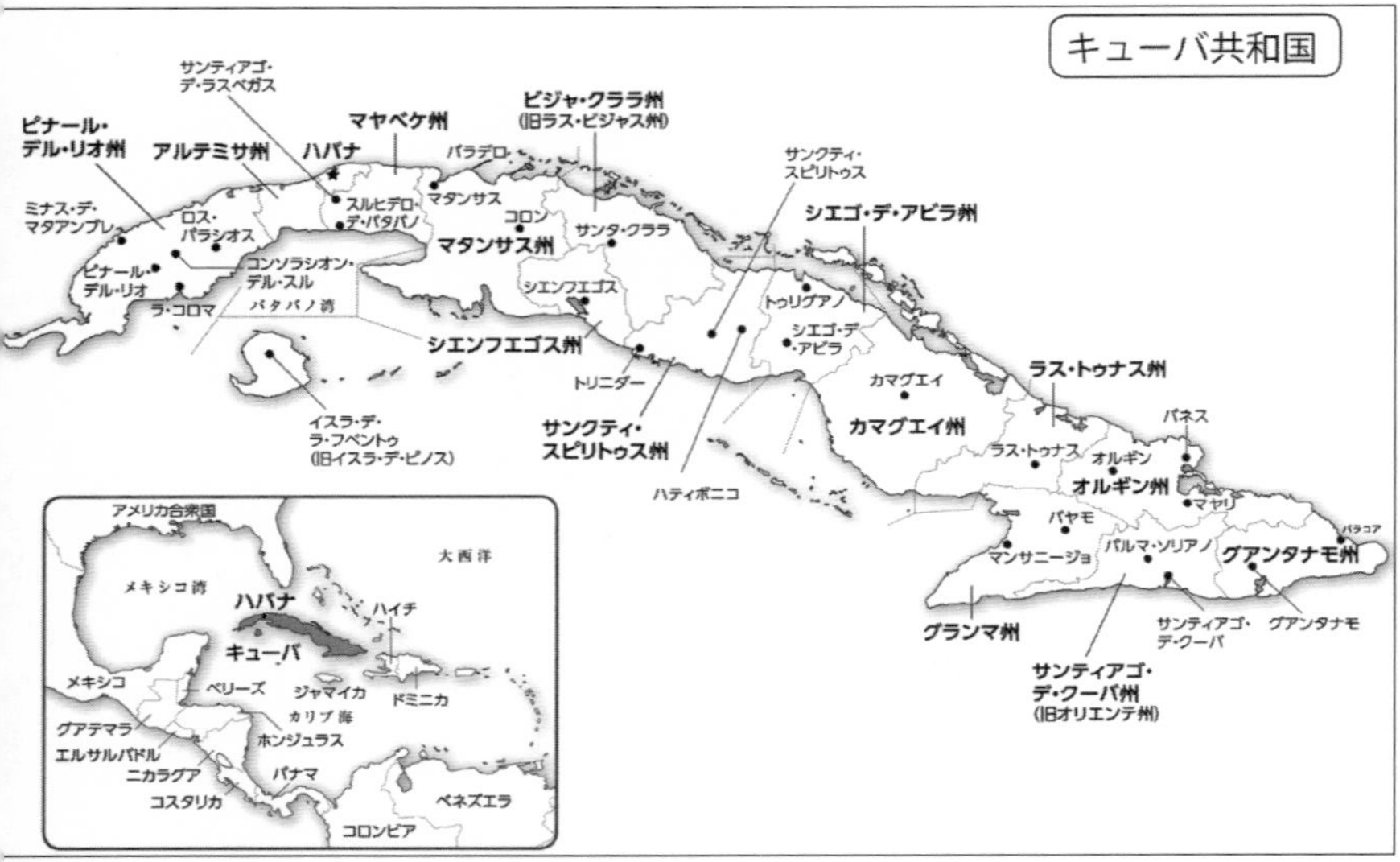

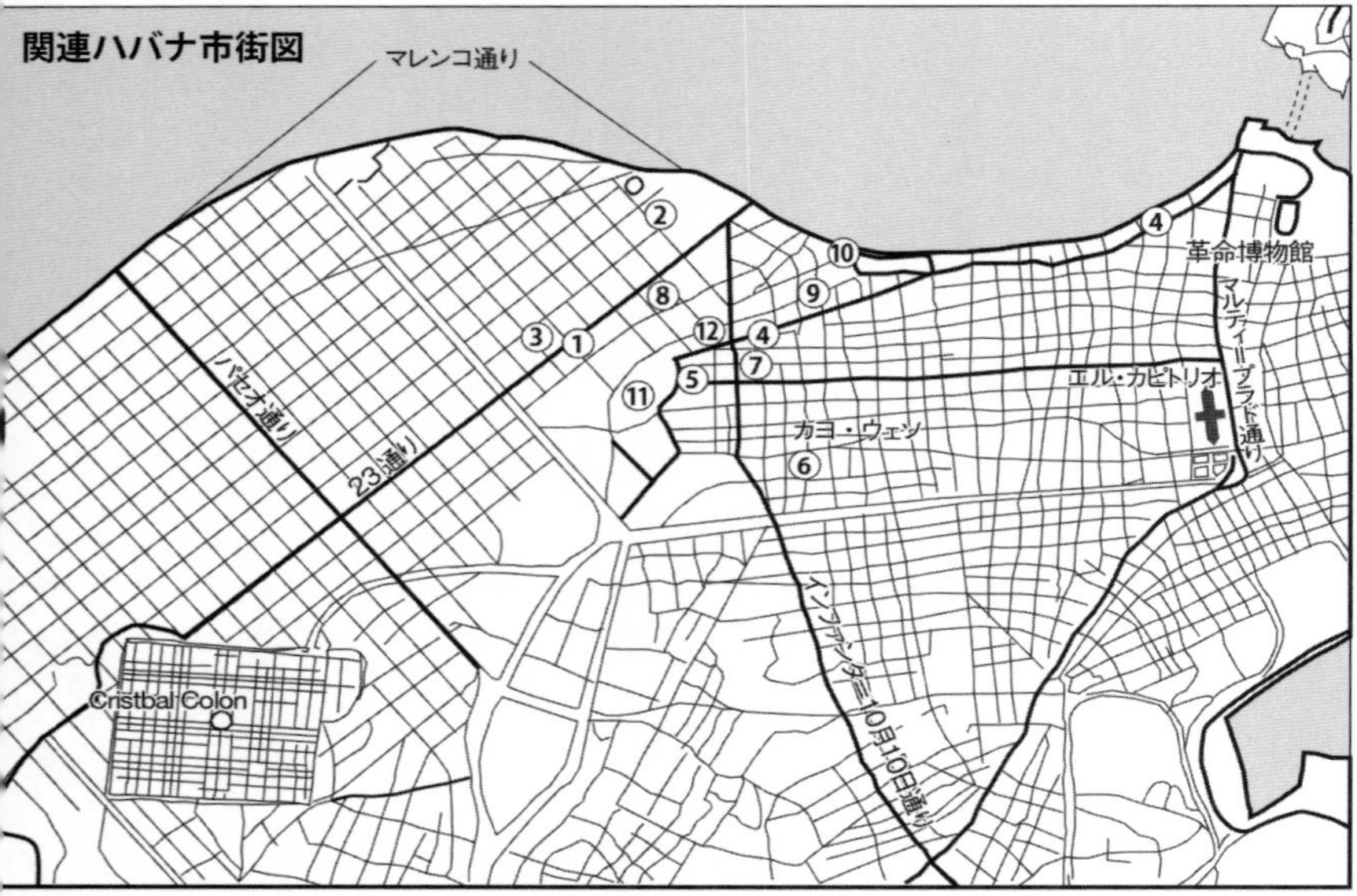

① H. ハバナ・リブレ／ ② H. ナシォナル／ ③ コッペリア・アイスクリーム ／ ④ サン・ラザロ通り
⑤ ネプトゥーノ通り／ ⑥ サンハ通り／ ⑦ カルメン教会／⑧ ジャズクラブ ラ・ソラ・イ・エル・クエルボ
⑨ カジェホン・デ・ハメル／⑩ アントニオ・マセオ・パーク／ ⑪ ハバナ大学／ ⑫ バポール通り

目次

Ⅲ

I　追憶のキューバ――ハバナ〝ヨルバ〟の世界　1998年

サンテリーアの祭壇、儀式の後

1　はじめに

今、キューバの思い出を辿ろうとして、まっさきに浮かぶのはホテル・ハバナ・リブレ。あの一階のちょっとうす暗い、水と緑で飾られた、ひんやりとするだだっ広いロビーである。

大理石の冷たい床の上を素足にサンダルでぺたぺた歩いている、綿のロングスカートや肩を出したキャミソールを着た、そんな自分の姿がまず目に浮かぶ。なにしろ、私が最後までとどまっていた場所が、そこなのだから。

最後までというのは、２０２０年の始め、コロナ禍が始まっていたにも関わらず、日本から「見切り発車」で出かけたキューバで、思いがけなくロックダウンに遭う、というシナリオが待っていたからだ。

六か月の滞在中、約三か月半をこのホテルで過ごした。どれだけの出来事があり、出会いがあり、別れが待っており……、世界中から来て居残った興味深い人々を観察し、逆に観察された。そんなことを書くだけで多分一冊になってしまうほど。でも、それはしない。

なぜなら、その思い出と同じくらいの多くの記憶と体験と、遭遇した出来事が、キューバにはあるからだ。とどめておきたい、そう思う。

このホテルだけとってみてもあまりにも多くの思い出がある。何しろ、最初にキューバを訪れた１９９８年に最初の夜を過ごしたのもこのホテルだったのだから。あれからもう24年。どれだけのことがあっただろう。ふと思ってみても、膨大な量の思い出が走馬灯のように駆け巡っていく。それらは、私の体験の断片であり、キューバで起きる、あらゆることの断片なのだ。

この国ほど訪れた人の体験によって、その印象の変わるところも少ないのではないか、と思う。わたしにとってもそれは、とても一言で語り尽くせはしない。

ガラス貼りのエントランスから、右手にある横に長～い、フロントを見ながら、二階へと続く幅広の螺旋階段をサンダルの軽い音とともにゆっくり上っていく自分の後ろ姿……。

振り向いて、そこにいる今の私の目で顧みてみようと思う。二階に上がると、すぐにプールサイド付きの大きなロビーのようなバーがあり、その壁面にはキューバの作家の巨大なレリーフがある。そこを通り過ぎた戸外には、きらきら光る水を湛えた青い鯨みたいなプールが寝そべっていた。それを囲んで過ごす人々の姿は現れては消え、再び戻ってきては、時にはもう二度と帰ってくることがなかった。

2　不思議な二つの記憶

夜の闇。生暖かく湿気をたっぷりと含んだ空気。いつも初めての空港に降り立つのは、期待と、そして微かな不安も混じった新鮮な体験だ。必ずなんらかの、その国の匂いが混じっている。なんだっただろう？　最初にキューバに入った時の匂いは。覚えていない、残念ながら。

もしかしたら、あまりにもありきたりだけど、葉巻の匂い？　それとも暗さに紛れて見えない、木々の発する濃厚な葉っぱの匂いや、そこに咲く熱帯の花々の芳香だったか。もしくは、当時もあまり芳しくないガソリンの質の車の排気ガスの匂い？　いや、そんなものすべてが混じりあった独特の匂いが出迎えてくれたのだったかもしれない。

しかし、一方で鮮明に覚えているのは、夜遅くの到着だというのに空港まで出迎えてくれた、政府のお役人。とはいえ、小柄で可愛い女性のことだ。

確かクーラーが効いていた、心地よい車の助手席に座った私を、この国の訪問の理由をすでに読んで知っている彼女は、愉快そうに見ながら言った。

「外国のジャーナリストは、どうしてそんなにサンテリーア〔西アフリカのヨルバ*から伝播したキューバの民間信仰＝アフリカ系宗教〕が好きなのかしらね？」

この言葉は、初対面とはとても思えないほどに親しげでフレンドリーな様子とともに、意外なこととして私に響いた。１９９８年、当時日本でもこの西アフリカ、ナイジェリアのヨルバの人々の宗教のことはある程度は知られていたが、決してポピュラーなものではなかった。今のように多くの人がそれに興味を抱き、カラフルな衣装をまとって踊る、そんなことはまだまだ想像ができなかった。

＊ヨルバは、現在のナイジェリア西部を主な居住地とする、ヨルバ語を話す人々である。住域は隣国ベナン東部とトーゴの北部にもまたがる。ナイジェリアの北部ハウサ、東部イボの人々と共に、三大民族の一つであり、キューバに渡った民族の中でもかなりの多数を占めた。奴隷貿易時代の後期に近隣から

攻め入られて奴隷として売られ大西洋を渡った。キューバでは、「アフロ・キューバン」と呼ばれる文化があるが、その中心的なものでもある。「キューバにアフロ・キューバンがなければその文化もない」と言われるほど。

文化の根幹には、彼らの信仰する多神教の神々があり、キューバでは強要されたカトリックによる混淆を起こして、サンテリーアと呼ばれる。多神教の神々（総称オリシャ。キューバでは綴りによるなまりのため、オリチャ、と呼ばれる）をカトリックの聖人になぞらえた。同様の事態で今に至るブラジルでは、この混淆宗教をカンドンブレと呼ぶ。

多神教の神々は、興味深く、人間以上に人間くさくもある神話に彩られ、鮮やかな色彩とその組み合わせ、それぞれの神の持つリズムと歌と踊りのステップを持つ、華やかでイマジネーション豊かな世界を持つ。キューバの音楽の数多くのリズムや音楽の基礎ともなっている。

ヨルバよりも早くキューバに到達したバンツー系の人々にも宗教はあったが、ヨルバほど緻密に体系化されていなかったため、多くはサンテリーアに吸収された形になった。呼び名として、パロ、またヨルバにとても近いアララなどがある。北米で一般的な総称となってしまったブードゥーは厳密には別物で、ヨルバの隣、旧ダホメー（現ベナン）をルーツとするもので、キューバには、仏領であったハイチ経由（旧ダホメーも仏領だった）で、キューバ東部にのみ渡っている。

板垣とヨルバとの出会いは、その出身である音楽家、キング・サニー・アデとの出会いが最初。かの国ナイジェリアでさらに、フェラ・アニクラポ・クティとも出会う。アデは80年代に世界的な熱風となった「ワールド・ミュージック」の最先端であり健在。またフェラは、国内の腐敗政治との闘いで音楽的にも世界に影響を与えつつ58歳で他界。しかし、その後、ニューヨークのミュージカルにもなり今でも世界の音楽に影響を与えて続けている。フェラの持っていた演奏の場「シュライン」の舞台の背後には、オリシャの神体が飾られてあった。

それらの体験は、板垣のアフリカ関係の著書を。またサンテリーアやカンドンブレについては、キューバ関係の著書『キューバへ行きたい』(新潮社刊)、『キューバ・アモール』(彩流社刊)と、カンドンブレについては、『ブラジル紀行』(「バイーア・ブラック」の改訂版)も参考にされたい。ルーツのナイジェリアと、渡った先の主要地点であるブラジルの特に北東部、またキューバの環大西洋の三点を結び、渡り歩いた稀有な体験を続けている。

さらには、本書の中では、ホテル内の社交場であるプールサイドに、ヨルバの青年が突如、登場する。

なので、「どうしてそんなに?」と訊かれると、逆に「そんなに多いのですか?」と驚く。私は、そのことを率直に言いながら、「私はキューバに来るのは、もう10年前からの計画です。もともとアフリカのヨルバの人たちの地へ旅をしていて、その後、彼らの信じている神々が大西洋を渡った先でどうなっているのか知りたくて、ブラジルの主にバイーアへ行き、そして、こうして今回は念願のキューバに来たのです」と話した。と、彼女はそのくるくるとした大きな眼をいよいよ零れ落ちそうなほどに大きく見開いて「ええっ、ナイジェリアにいたの?」と逆に驚いた。市内に向かう、暗い幅広の道、その後、何度ここを通っただろうか。そこを車のハンドルを握りながら愉快そうに私の話を聞いていたこの女性の思い出。

オカシイ。どうも記憶が定かではない。

私は、初めてキューバに来た時、一回目からすでにジャーナリストのビザを取っていたのだろうか？　いや、違う気がする。だとしたらなぜ、政府の人が私を迎えに来ていたのか。こうして書きながら気が付いたのは、キューバを訪問する準備中にかなりの回数、駐日のキューバ大使館に出向いていたことだ。まだ確かな情報が極端に少なかったため、またサンテリーアという特殊な世界に目を向けるために、様々なことを教わりに出向いていた。その時に親しくしていただいた外交官さんたち二人ともが、私がキューバを訪問する直前に帰国されていたので、もしかしたら、そのせいかも、である。

とにかく、こうして最初の宿泊所であるホテル、あの25階建ての高層ホテル。その昔、革命軍ゆかりのホテル。東部からゲリラ戦を展開してじわじわとにじり寄り、ついにハバナに到達したフィデルとゲバラ率いる革命軍が１９５９年に最初の宿泊場所としたこのホテル、ハバナ・リブレ〔リブレは自由の意〕。

革命成立直後ハバナ入りしたフィデル・カストロたちは、ここハバナ・リブレを宿とした。ロビーでのカストロ

とは言え、私はいつもホテルにばかり泊まっていたわけではない。一回目の滞在の時から、いわゆるカサと呼ばれる民泊に泊まっていた。では、最初の数日をハバナ・リブレで過ごして、その後民泊へ移動した？　そうかもしれない。

いけない、どうも、私の中では、「最初に到着した夜」が二つあるようなのだ。23年前の記憶を掘り起こそうとして少し混乱している。もう一つの記憶。

空港に来てくれたのはこの当時ですでに20数年キューバに住んでいた通訳の日本人女性。お疲れでしょうから、と夕飯に招待してくれた。彼女の招待と分かっていたので「デザートを食べますか」と訊かれて遠慮すると、「じゃコーヒーくらいは飲みましょうね」と。そして、「キューバでの正式な夕飯や招待は、デザートまでも含んだちゃんとしたものなのよ、だからあなたが誰かを呼ぶ場合は、そうするべきよ」となにか不思議なことを聞かされた。私よりかなりな年上の女性と二人で、しかも初対面だし、なんだか緊張していた記憶がある。しかも、私が出発前に日本の代理店で押さえていたホテル名を聞いて、妙な顔をされた。「新しいホテルよ、まあまあいい所だけどかなり郊外なの。どうしてそんなところをとったのかしらね。通常は、もし混んでいたとしても、なんとか街中のホテルをとるものだから。なにかあるわよ」、と少し光る、東洋人ぽい細い眼で私を見やりながら言った。

落ち着かない気分。「なにか」ってなにかしら？　まったく想像もつかないままに、私は一人でその日の宿の、やはりけっこう綺麗で新しくはあるホテルにチェックインをした。さほど夜も遅くなく、すぐに寝る気分でもなかったので、一階のカフェに向かう。この時、起きたことは「なにかある」と関係あるのかないのか、まったくわからないのだが、その後は二度となかった妙な体験をしている。

さほど広くはないカフェ。全部入って30人程度だろうか。椅子は藤製で布のクッションが置かれていた。オレンジ色っぽい照明がついている。一人でカフェのソファに座る私に、二人の米国人がいきなり話しかけてきた。

「ね、僕たち、キューバには船でやってきたんだ。海上に船を置いてあるから一緒に飲みにいかないか？」

なんなんでしょう、これは？　だれでもそう思うだろう。わけわからず、しかし一応話し相手として尋ねてみた。

「米国人で、キューバに入れるの？」

「やあ、もちろんだよ、僕たちはちゃんと入国の手続きもして、こうしてホテルに泊まっている」

「へぇ、でもボートで来たって、それじゃまるで逆ボートピープルじゃない？」と軽くギャグを飛ばしたのだが……彼ら、にこりともせず「いや、大丈夫なんだ」と。

ギャグにも笑わないお誘いなんて、ほぼないでしょ？　もちろん最初から私は彼らと一緒に海の上の船にいくつもりなんてない。

しかも、この当時はまだまだ、ここから17年後つまり２０１５年に起きる、フィデルから引き継いだ、弟のラウル政権と米国のオバマ前大統領との間の国交正常化なんて、露ほどの気配も、想像もできない時代。わざわざ到着早々に、国交もない国から来た人たちと「遊びに」でかける酔狂なおバカさんもそうそういないであろう。

そこに！今度は、アタッシュケースをもった男性がいきなり現れた。これにはかなり驚いた。黒ずくめのスーツ。黒く四角い大きめのアタッシュ・ケース。いったいなにが入っているのか。アフリカンの血統の入った黒っぽい顔に、黒く濃い頬ひげ。全部黒。印象も黒。その男性も、米国人二人と話している私を、ちょっと奇異なものを見るように見た。

「いやいや、気にしなくていい」と、たぶん私に言った。え、そんなわけには……。すると二人組の男性のだいたい主に話していた一人が、アタッシュケースのこの黒い男に、しばらく席を外して待つように言い、携帯電話を取り出して……当時、すでに使える人は使っていたんだなと思う……話し始めた。

その話がまたオカシくて。

「いや、ちょっと難しくなってしまった。彼女、なかなかに賢くて、来そうにない、いや、大丈夫だよ、あんまり英語が達者じゃないみたいだから」

は？　私、英語で話していたよね？　ま、達者じゃないのは良いにしても、目の前にいますよ！　電話口の相手は、私を気にしたのだろう、それに対して大丈夫だと言っている彼らがとても変だった。

「しかも、いつも遅れてくる○○が」この名前は忘れてしまった、ミゲルとかルイスとかポピュラーな名前、「今日に限って早く来るもんだから、彼女いよいよ怪しんでる」。オカシイでしょ、この人、まるで私が会話を理解していないみたいな言い方だわ、その話の流れ。また後で確認すると、アタッシュケースの黒ずくめの男は、あまりにもキューバ人らしくないキューバ人だったようだ。

変な事には巻き込まれたくない、と思った私は、そうそうにカフェから退散することにした。

「あ、行くの？」まだ受話器を握っていた彼は、ちらと私を見ただけで、会話に戻った。礼儀正しい風なんてどこにも吹いていない、そんな感じ。

とにかく、オカシな変な気分で自室に戻り、それでもやはり長旅の疲れで、ストンと眠ってしまった。

何だったんだろう、あれは？　なにも巻き込まれずに済んでよかった、とも思うし、彼らの正体がいったい何だったかを知りたかった、という興味も少しはあった。いずれにしても、右も左もわからないキューバでいきなり米国人の船に乗りに行く、なんてあるわけがない。もしなにかの作戦だったとしても、これではあまりにも幼稚ではないか。

想像はさまざまに膨らむが、それはここでは割愛しよう。

ほとんど薄れてしまった微かな記憶を呼び起こすと、「僕たちは薬品を運んでいる。そういう仕事の人はキューバに入れるのだ」と語っていた気がする。ではなぜそんな「お仕事」をしている彼らが、いきなり初対面の、しかも日本人の私を誘う？　真相はすでに闇の中。これは、「あれ以来」ずっと持っていた奇妙な思い出だ。こんなことが強く印象に残るのも、国交を持たない国、しかも緊張状態にあるものを持つ国の特徴だろう。例えば、日本の空港なりホテルなりで、知らない外国人、しかも普通にポピュラーな国の人から話しかけられただけで、そんなに驚くだろうか？　それはない。

この郊外のホテルでの翌朝。窓から遠くに見えている、ハバナの街の高いビル群……。ああ、あれがハバナだ、これから私が行く……どんな街なのか、どんな人たちがいるのか、どんな出来事と出会うのか。そんな期待がボーンとバルーンのように膨らんだことを覚えている。晴れ晴れとした朝だった。昨晩の記憶も吹っ飛ぶような。

ハバナの街は、他のどことも似ていなかった。旧市街の街並みは古びて美しく、中世のヨーロッパのようだった。しかし、そこを歩く人々は、かなり多くがアフリカ系の肌の色の濃い人たちだった。思いっきり早くてまったくわからないスペイン語。そもそもこの時の私はほとんどスペイン語はできなかったが。カラフルで鮮やかな色彩の服。軽快なリズムに乗る足取り、粋な、時にはあけすけな表情。爆発的な笑い、街中に溢れる、金属や皮や木の作り出すリズムや音楽。そんな形容詞をこうして並べられるようになるまでには、まだまだずいぶんの時間と、体験と旅の数が必要だったのだが。

3　歌のハバナ

キューバにはたくさんの街があり、そして、通りもある。

それなのに、なぜハバナ? そう、私もそう思う。それどころか最初にキューバを訪れたときには、この町は大きすぎて、どこから見ていったらいいかわからず、また、複雑なことがあまりにも多くて、いったいどう手をつけたら良いものやら、と感じた。一方、東部の古都市サンティアゴ・デ・クーバは、ハバナから見たらはるかに小ぶりで、以前の首都ではあるが、今ではそれも過去のものとなって、どこかおっとりとしていて話し方もハバナからみればゆっくりで、外から入っていく人にとっては緩やかで心地よい町、と感じたものだ。しかもここは、あのブエナ・ビスタ・ソシアル・クラブでも有名になった旧くからある、今でもキューバ音楽の主体の一部である、あの「ソン」の生まれた故郷なのだ。そんなナチュラルなプライドや音楽に対する愛に満ちている、とも感じられる。

さらに付け加えれば、キューバの歴史の発端のかなり多くは、東部から発している。まずはスペイン人の上陸と最初の首都から始まって、独立運動、闘争も東部から。また、知らない人はいないであろう、フィデル・カストロが革命軍を率いて蜂起したのも東部からだった。そもそも、彼と彼の一家も東部の出だったのだから。興味深く、味わい深い街なのである。

それならなぜ？　私はハバナ？　そうね、これも一口で言うには難しいけれど、「縁」だろう。なにしろハバナは、現在の首都でありキューバのあらゆるものの上陸地と発信地であり、なにより17年通った後に住み始めた街なのだから。

街の花屋さん

２０１５年に住むことにした時は、先にも触れた、当時の政府のトップであったラウル・カストロ議長と米国のオバマ政権の間で進められようとしていた国交正常化を見届けるためには、ハバナにいる選択肢しかなかったからである。

この街に住み、街を歩き、通りを知り、人々と出会い、もちろん写真を撮り、音楽を聴き、ついには歌うことにまでなってしまい……そんな街なら、それはやはり馴染んでしまうに違いない。そして、実際、今はキューバの街の中ではどうしようもないくらいに好きな、身近な街になってしまった。

話は飛ぶけれど、大好きな映画の一つに「ローマの休日」がある。あの最後に近いシーン。取材陣に囲まれて「訪れたヨーロッパの国々や場所で、どこが一番よかったでしょうか?」という質問に対して、王女の立場ならそれらしく社交辞令としてでも「どこもすべて素晴らしく」と答えねばならないところ、最初にはその言葉を口にしながらも、一瞬の迷いの後に「ローマ!」と答える。そして取材陣のどよめき。あのシーンが好きでたまらない。そう、人は皆そこでどんな出会いがあり、どんな思い出をもったか、それがその街の尺度のすべてなのだ。この王女のように、たとえそれが一日きりの思い出であろうと、もっと長い年月をかけた思い出であろうと。

ハバナの街を語る時、溢れるような思い出がある、それを語る多くの言葉。しかし、その前にこの国らしく、この街を描く歌詞やメロディで語れば、数倍強く率直に感じられるに違いない。この国はなにより、生きていくうえでなにが一番大切なのか、常にそれを強く意識させてくれる場所なのだから。

幸い、ハバナを歌った歌は、あまたある。その中の極めつけを味わってみよう

「**Hoy mi Habana**」(「今日、私のハバナ」) ホセ・アントニオ・ケサーダ作

今日、私のハバナは最高にめかし込み

花よりも　コケティッシュで
扉も窓も　開けっ放し
彼女は　バルコンに座り
今宵の愛の幻想を　アバニコ*で振りまく
〔*アバニコ　キューバ女性が暑さしのぎによく使っている扇子のこと〕

（一部省略）

大鷹は、
恋人たちの大きな愛を乗せた翼で飛翔する小さなナイチンゲールに〔鶯に似た鳥〕
死ぬほど嫉妬する

ピナール・デル・リオから、マイシまで〔それぞれ、キューバの西から東の端の街〕

わぁ、いきなりすごいものを出してしまった。
何故なら、この一見、甘くコケティッシュでロマンチックな愛とドンファンの歌と見えて始まったものが、物凄い歌詞を含んでいるからだ。

「これが、キューバなのだよ」とも言いたい。一筋縄ではいかない、一見、楽しくてノンシャランな、ただただ、明るいカリブの国、と見えてもそうは問屋が卸さない。当たり前だ。こんなに小さくて、マイアミと目と鼻の先にありながら、革命を成功させてしまい、その政府を何十年も維持してきてしまったのだから。

軽く解説させていただこう。

「小さな」というところで、ピーンと来た方もあたっただろう。そう、謎の歌詞の一部分。ここは、キューバ人でも、またハバナっ子でも知らないままの人がかなりいる歌詞の部分だ。

小さなナイチンゲールに、大きな鷹が、「死ぬほどに嫉妬」するのは、小さなキューバと、大国米国の象徴なのだ。愛に満ちた国、キューバ。一方、形容詞は省かれているがそのキューバに嫉妬してしまうほどにさまざまな苦悩を抱える大国アメリカ合衆国。

そういう意味だ。

なにを抱える？　と訊かれれば、その答えはキューバ身贔屓のようになってしまうが、あえて羅列すれば、

- 戦争をやめない国。（キューバは常にプライドをもって言う、私たちは他国を侵略したり爆弾を落としたりしていない……。これは実は、フィデル・カストロの演説中のことばだが、大いに納得できるものとして、民泊のオバちゃんも口にするほど）
- 人種差別に未だに苦悩する大国。一方キューバは世界で一番、人種差別が少ないと誇るし、私

も実際そう思う。100%ないわけではないが、それでも私がここにいて嬉しいのは、人種を意識しないで暮らしている、ということ。ある日、ライブの帰りにふと、「ああ、今日のメンバーは全員がアフリカ系だったよね？」と初めて気づく。それほどの感じ。

- 医療費の高さに市民の苦しむ大国。一方キューバは100%医療費は無料。この点についてはまだ補足する必要もあるが、長くなるので後述する。また、高度医療先進国でもある。世界から医療援助の要請が来て、米国でテロが起きて苦しんだ時でも「援助を申し出る」余裕。米国の映画監督、マイケル・ムーアの作品「シッコ」にも、NY他で起きたテロの後「健康被害で苦しむ」消防士の人たちがキューバで治療を受けて救われるストーリーが描かれている。
- 銃の規制がままならぬ大国。キューバは軍隊以外はほぼ銃の所有なし。安全にも結びつく。
- 大国、教育費の高さ。一方キューバは教育費も無料。

このくらいにしておこう。戦争ナシ、治安ヨシ、人種差別かなり極端に少ない、医療と教育費無料。人が生きていく上で、大切なものすべてを満たしている。もちろん、キューバにも悩みがないわけではない。特にコロナ禍が長びいてからは生活面での大変さが募った。それらについてはまた後で書くとして、ここでは、大国の鷹が、なぜキューバに嫉妬するか、についての正当な理由をさらり、と書いた。

そして、極めつけは、「愛」だろう。キューバの人々の人懐っこさ、人にそそぐ愛情の強さ、濃さ。なにもすべてとは言わない。しかし、全体で見て、日常で見て、間違いなくそうなのだ。もちろん、米国にも優しく、愛に満ちた人がいるに違いない。しかし、社会としてみて。

この歌をうたうのは、高名な歌手、シオマーラ。彼女は、アクセル・トスカ、つまり現在NYで活躍し、何度か来日してその素晴らしいピアノの腕をみせている彼と、母と息子の関係である。

4　通りを歩く——わりと極端な「道」案内、ハバナ〝ヨルバ〟散歩

ハバナ。この魅惑的な響き。

この街の名前から引きだされるイメージも千差万別に違いない。私の場合は、夜。そして、真昼。暗い熱帯の夜の街か、眩し過ぎる陽光のぎらぎらとするハバナか。その時間帯に思い出がたくさんあるからだろうか。早朝の散歩もしたのに？　夕方の少し気だるい、とろんとした斜陽の中の街をぶらぶら歩いたりもしたのに？　でも、何かが起きたり、人と出会ったり、音楽を聴きに行ったり、歌ったり、事件が起きたり……。それはこの二つの激しい時間帯だったように思う。それがまた、ハバナの街に似合う、そんな気がする。

一緒にハバナの散歩に出かけてみる？　私のへんてこりんな、どうにもならない、懐かしく、楽しく、時に苦い、また甘い、思い出に一緒に出会いに行く？

通り名だ。それを思い出させるのは。数多くの通り、区画、思い出のある所を書きだしただけ

で、おびただしい数の名前になってしまって、自分でも驚いた。とても全部は書ききれないだろう。知らない人はただ、飽きてしまうかもしれない。それでも、この街を知らない人を、強引に街中に誘ってしまおうか。きっと楽しいに違いない。どきどきするかもしれない。なにしろ、知らない町の、知らない人の体験なのだから。いや、もしくは、すでに知っている、もしくは、良く知っている通りの、ちょっとお知り合いの、しかし思いがけない体験談になるのかもしれない。どちらでもいい、さあもう出かけるとしよう。

サンダル？もしくは、スニーカー？お好みの歩きやすい靴でね。なにしろこの街にいると、良く歩く、そして歩くのが楽しい街なのだから。

ほら、扉をあけたらすぐに歌が聞こえてきた。ハバナの美しさを讃える歌。

「**Hermosa Habana**」（美しいハバナ）ロランド・ベルガーダ作。

ハバナ、美しいハバナ　綺麗なプラド通り　数々の美しい通り　そしてその海

ハバナ、あなたに私の歌を届けるわ　バイオリンのうめき声のような

あなただけのために奏でられるもの

青い空を見上げて　飛ぶ鳩は　まるで平和の象徴　なんという栄光

それはあなたのためにある
ハバナ　ハバナ　ハバナ

爽やかに明るく堂々としていて、ハバナの、キューバの街そのもの。繊細でリズミカルな、力強いキューバの人の心そのものだ。

波しぶきが上がるマレンコ通り

さあ、どこから行こう?

プラド通りは、すっ飛ばして

ここで歌われているプラド通りは、歌に出てくるほどに有名で綺麗な通りである。私にとってもいくつもの思い出のある通りだ。この通りは、あの、海沿いを突っ走る「冬の波しぶき」でよく知られるマレコン通りに端を発し、内陸に向かっていく。そりゃ、海には向かえないしね。この通りの特徴でもある美しさは、素晴らしく幅の広い双方向の道路の真ん中に、まるで公園か、というほどの熱帯月桂樹の街路樹が植わったスペースがあることだ。この木々の葉は、きらきら輝く光の放射で人の肌を焼く強い陽光も、涼しく吹き渡る緑の風とともに防いでくれる。

プラド通り、マルティ通りの別名を持つ

ひとつだけ、とても近い記憶をここに書いておこう。ＰＣＲ検査。２０２０年、コロナ禍の中、意を決して向かったキューバで三か月半のロックダウンを経験。ハバナのロックダウンはまだ何度かにわたり、その後も続いたり解かれたりしたが、私は二度目のロックダウンを受けて突然帰国する気になった、その時、偶然見つけた……同じホテルにいた帰国フランス人のお陰だが……エールフランスの特別便に乗るために受ける検査会場がプラド通りに面してあったのだ。嬉しかった。コロナの検査で嬉しい、も変だが外出できて、しかもどうやら帰国できる、というその嬉しさで。この辺りはまた後でゆっくりしっかり記そう。この検査が始まるまで、キューバらしく指定の時間から2時間半も待たされた。長い。しかし、幽閉生活の身でありながら、堂々とした理由でできる外出。しかも、心地よい通りで。一緒に出掛けた帰国予定フランス人と、そこで会ったキューバ人のカップルとお喋りをし、戸外で柔軟体操をし、ぶらぶら散歩して写真も撮り。なんとものんびりとした時間を過ごすことができた。緑の並木を背景にして「帰るよ～」と嬉しそうにフランスに電話していた彼の姿も印象的だ。私とて、いかに気持ちの良い通りだとはいえ、それまで2時間半も同じ通りの一所にいたためしはないので最長記録だ。この時の検査方法も喉奥ぬぐいの痛くないものですぐに終わったし、帰りも同伴のフレンチさんの頼んでいた友人の車ですぅ〜っと帰ってきたし。すべてがゆっくりとした懐かしい思い出だ。

しかし、ユネスコ世界遺産、という名前を誇る旧市街と、このプラド通りを挟んで、ずらり居並ぶ歴史的な建物群、カピトリオ、グラン・テアトロ（大劇場）、ホテル・イングラテーラ、美しく由緒ある建築物は大好きだが、私の日常ではなかった。だから、プラド通りはすっとばすことにしよう。じゃ、私の日常って？

夜のホテル・イングラテーラ。左隣は大劇場

インファンタ通りを挟んだ、セントロとベダード地区

始まりはインファンタ通りだろう。私は、この通りを挟んで、あっち側とこっち側へ行ったり来たりしながら住んでいた、もっとも馴染みの強い通りなのだ。そして、この通りを知らないハバナっ子はいないだろう。なぜ、あっちとこっち、とわざわざ言うかと言えば、この通りを挟んで、区画が分かれるからだ。そこから広々と続く、新市街からミラマールなどの高級な地区に向かうほうは、ベダードと呼ばれる地区だ。そして、通りを挟んだあちら側は、思いっきりの下町、セントロになる。その向こうが、観光でハバナに来た人ならば、必ず行くであろう、ユネスコの

世界遺産にもなっている、旧市街、つまりアバナ・ビエハだ（ハバナのHは発音しない）。しかし、もしあなたが、この街の通常のガイドブックには出てこない、ちょっと裏側、知らない人にはいきなり馴染むことのできない世界を垣間見たいと思うなら、セントロに入っていく、もしくは住んでみるしかないのである。

セントロに関わる、もっとも旧い思い出。それはやはり、キューバに残る（アフリカ系の）民間信仰サンテリーアがらみのことになる。キューバでそれを知りたかったら、この地区を外すことはできないだろう。

もう20数年も前になる。たぶん、二回目にキューバに来た時のことだ。すでにしっかりジャーナリストのビザをとっていたから。

「今は消えていることは知っているけど、アフリカ長屋の跡を見たい」

ハバナの裏街セントロ

そんな要望を聞いて、通訳ガイドをかってくれていたS嬢は、はた、と考える仕草をした。「どうしたものか」というように。「少し考えます」と言われた。数日後「そこには、私が個人的にお連れします。あなたがサンテリーアや、アフリカ系のものを探したいと思っていることはよく知っていますし、政府も了解しています。しかし、あなたが希望しているような所は政府からの許可をとって行くような場所ではありません。なので、私の個人の判断でご一緒しますね」

有難い言葉だった。彼女がそう言う理由は、かなりディープな、またはっきりと申し上げて貧しい、そしてサンテリーアがらみの地区に入っていくのを、当時はまだ政府はあまり喜ばない、というのが理由だった。当時は、である。今は違う。

また、すでに禁止は解かれていたが、まだまだマイナーな、おおっぴらにするには、まだ間のある歴史の一部分だった、ということだ。その当時はまだ、である。

考えて見れば、ずいぶんと有難いお話しだった。今は、まったく変わってしまったのだから。いや、幸いに、というべきだろう。サンテリーア、というアフリカ系の宗教を信じることも、その儀式も、けっして隠したり（それは別の意味で必要だったりもするが）、ごまかしたりする必要はなくなったのだから。

サンテリーア入信者の白の衣装

この当時、いったい誰が、20年後には多くの人々、老いも若きも、白い衣装（入信した一年間は、白一色の衣装で過ごすことになっている）をまとい、神様を表す、色とりどりのネックレスをじゃらじゃらつけて、通りを闊歩するようになる、と思っただろうか？

素敵な、いい事なのだ。そのはずなのに、なにかどこか、変わってしまって寂しい気がするのは、もちろん、物凄い身勝手に違いない。いや、単に身勝手ではなく、

ヨルバの家、目の印が描かれている

ヨルバの神のブレスレット

以前の「深く潜行して、たとえ禁止されてもどうしてもなくてはならぬもの、として渇望され、また地域と人々のコミュニティのあり様の一つとしてあったもの」が変容して、社会的に開かれてはいるが別の課題も抱えるもの、になったのではないか。このことについては後に詳述したい。

この時、私がS嬢に連れて行ってもらったのは、とても変わった木造のかなり大きな建物だった。そこに住んでいるのは、全員がサンテリーアの信者。でも人数はほんの数人だった。なぜ、そこにいるのか、なぜここでないとならないのか、そこまで詳しくは訊けなかった。でも、その大振りの建物の外側には、大きな眼が描かれていた。これはサンテリーアの印。また、「理解しないのなら、来ないでください」という文字も大きく書かれてあった。まだ、表立って「そうなのですよ」とは言いがたい彼らの、せめてもの抵抗のように見えた。それでも「写真をとってもいいですか?」という質問に快く応えてくれて。その、家族らしき人たちの写真を撮った。詳しい血縁関係は訊けなかった。

言葉ではなにも表現しなかったけれど、眼差しが暗かった。私がなにものであるか、はS嬢が説明してくれたから、理解し同意してくれていたと思うのだけれど、それでもどこかに用心する「あなたは誰？」という心持がなかったわけではなかっただろう。お礼を言って外にでるとなにかほっとしたような心持がした。

外に出て、向かい側の通り沿いに少し歩くと、細長い通路のようなものがあった。「このあたりが、昔アフリカ長屋のあった所。今は、もうなくなってしまったけれど、こういう場所だったみたい」。説明を受けて通路に入ると、本当に長屋みたいな建物が細く長く続いている。今、思い返してみれば、あれは本当にアフリカ長屋跡だったのではないか、と思えてくる。じゃなかったら、どうしてそんな長い形をしたものが、古いままあるのかわからない。ただ、単に革命後、「アフリカ長屋」なるものは解体したけれど、その家々と住人だけは、そのまま残っていた。そんな気がする。今ここに住んでいるのはその家族、一代目、二代目、三代目。人が一人、やっと通れるような狭く細長い通路の真ん中を水の流れる溝が通り、その両側はセメントで固められていた。壁も、中身はブロックを塗り固めたものなのか。出入口は、それを四角くそのまま切り取ったようなものだった。

ある家の中で、女の人が洗濯ものをしていた。「いいわよ、入っても」。この人は打って変わって、にこやかでおおっぴらな感じがしてほっとした。

入ってすぐの所に、祭壇。サンテリーアだ。しかし、ちょっと違っている、とS嬢は言う。これも今思えば、どの程度、違っていたかどうかわからない。そもそもサンテリーアは、アフ

女性司祭で歌い手でもあるサイダ・レイテ。サンテリーアよりもキリスト教に少し近い。

アフリカ長屋跡に住んでいた女性。ネックレスに洗濯ばさみ。この人に会いに行きたい。

リカから運んできたアフリカの人々が、その奴隷制度の中で生きていた時代に、自由に信じ、祈ることを禁止されていたためにカトリックと混淆している。意図か、自然か。その成りたちは、複雑である。そして、その混淆状態は、地域や歴史でさまざまな段階のものもある。なので、この人の祭壇が、かなりカトリックぽいからと言って、サンテリーアと分かつものかどうかまでは見分けがつかない。

東部の古都市、サンティアゴ・デ・クーバの女司祭で有名な歌手でもある、サイダ・レイテを尋ねたときには、彼女の信じるものは、サンテリーアより少しカトリックが強い、エスピリトスである、と教わった。それなら、ここ、セントロの遥か昔に出会った、あの女の人の信じていたものが、その類であった「かも」しれない。

にこにこと祭壇の前で写真のためにポーズしてくれるこの人。手にはクリストを抱いた白いマリア像を持ってみせてくれた。洗濯中だったから、洗濯鋏がたくさん胸のネックレスについている。なんとそれは、神様のネックレスではないか。黄色いオチュン（ルーツのヨルバでは、オシュン）、ルーツのアフリカ、ヨルバでも、渡った先のここでも、真水の女神で、愛を象徴する。そして、ここキューバの国の「守り神」でもある。（たくさんの女神と男神の総称をオリチャ、ルーツのヨルバではオリシャという。その点の詳しくは後述）

そんな大切な女神のネックレスに、バチバチとたくさんの洗濯鋏。キューバっぽくて、笑いたくなる。おおらか、ノンシャラン、あけっぴろげ。そんな言葉がぴったりくる彼女に出会えて嬉しかった。ぴかぴか光る濃い色の肌、豊かな胸、豊かな腰。典型的なアフリカンのキューバ女性だ。祭壇には、取っ手付きの陶器の細長いコップに、熱帯キューバらしく向日葵の花。そして、白く香るナルドスの花。これは、あの有名なＢＶＳＣの中の歌、オマーラさんとイブライムさんの歌う「シレンシオ」でも歌われている、あの花だ。別名、チューベローズ〔月下香〕。バリ島が好きな人なら、ベッドの上に置かれているあの花といえば、その香りとともにピーンとくるだろう。

あとは名前も知らない赤い花。全部、熱帯の暑気で少ししおれかけている。その前には、たくさんのコップ。中身はラム。信じている、もしくはこの日に祀っていた神様の数だけあるのだ。さらには葉巻。すべてキューバらしい捧げものだ。

この細長い、長屋跡は今でもある。セントロを歩くとすぐにわかる。私は、入ってみたい衝動にかられながら、どこか遠慮してしまっていた。しかし、今度やりたいことがある。昔の長屋に

ヨルバの信仰を持つ人たちの家の前。「SI NO SABE NO TE META」と書かれている。「わからないなら、関わらないでください」という意味。当時の切実さが伝わってくる。今は、すっかり変わっている。

住んでいたあの人の写真を持って行って、この人はいる？ と訊いてみたいのだ。きっとお年はめしたに違いない。でも会ったらすぐにわかる、きっと。もうお孫さんもいる年齢に違いない。

写真集を作った後には、決まってそこに写る人々のところにそれをもって行ったものだが、ここにはそれを果たしていない。どうしてだったのだろう。この次、やろう、きっと。

また、一方、あの大きな家は、その後もかなり長くあったようだ。土地勘を失ってしまっている私は長く、そこに行けないままになっていたが、ある日、写真集を見た人が、ぽつり、呟いた。「ここはまだあるよ」。そうなの？なんとか戻ってみたいと思っていた私は場所を訊いたけれど、どうにもうまく説明してもらえなかった。そして、その後、別の人から聞いた事は残念だった。「ここはね、もうなくなったの。そう、わりと最近まであったけどね」

そこのことを語る人、その写真を見る人の眼差しは、いつもどこか少し寂し気でノスタルジックだ。その歴史を思うからだろうか。ハバナに単に通うだけではなく、住み始めてやっとセントロ近辺の土地勘を持ち始めた私は、見当をつけた場所を「もうない」ことは知っていながら、歩き回ってみる。もちろん、なくなってしまった場所には行きつけはしない。しかし、だだっ広くて、なにもない空き地は、そこかしこに残っている。ここだったかなぁ。そう思いながら、少しだけ立ち止まって見る。雑草が生い茂り、私が訪ねて写真を撮ったあの昔から、雑草は生い茂っていたが……。埃まみれの熱風が巻き起こり、私の眼を直撃する。早々に退散だ。

そうだ、角にある大きな青空青物屋で、パパイヤを買っていこう。冷やして、シャワーを浴びたら食べるんだ。

さて、そのセントロ。サンテリーアを信じる人たちも多く、したがってその儀式も日常的に行われているし、サンテリーアそのものが、音楽と歌と、太鼓のリズムと、色とりどりの神様やネックレスに彩られた宗教と儀式なので、この地区にいると、いつも、どこかからいい感じの太鼓の音が聞こえてくる。また、太鼓の音も儀式の匂いも、なにもセントロだけとは限らない。ハバナの市街地のどこを歩いても、サンテリーアの儀式に遭遇することはあるし、「その」音も聞こえてくる。

つまり、それが旧市街であろうと、ここセントロであろうと、お隣のベダードであろうと、かなり離れた下町、セロであろうと、サンテリーアの音は響き、ステップは踏まれ、祈りの気配と共に、時に大きく時には小さな祭壇も飾られているのだ。

さあ、もう一度、セントロとベダードの境を成す、インファンタ通りに戻ろう。どうして？それは、ここに建つ教会がまたしてもサンテリーアと縁の深い教会だからだ。先ほど、アフリカか

夕暮れの中のカルメン教会

ら無理やりに連れてこられた＝正確には売られた、アフリカンの人たちがその記憶と身体の中に秘めて運び込んだヨルバの神々が、その奴隷時代には禁止されていたためにカトリックとドッキングして、サンテリーアとなったことは話した。

　ドッキングはサンテリーア側からだけではなく、教会側にも起きている。それがどこまでディープであるかは、その場所その教会にもよるはずだ。ベダードを歩いていると、かなり広範囲の地域から、この教会の聖母がキリストを抱いて塔の上に立つ姿を眺めることのできる「カルメン教会」。ベダード地区のインファンタ通り添いのもっとも大きな教会である。そして、れっきとしたセントロ側に立つ教会だからサンテリーア色も濃い。

　この教会の前を通ると、その入り口にはかなりの確率で、「妙」なものにであう。

　割れた陶器の壺のかけら、野菜なのか果物なのかが腐れかけた匂い、ココナッツの殻、時には鶏の羽根をむしったものが散乱していることもある。いやいや、興味はあるけれど、じっと見たりはしないで足早に通り過ぎてしまう。何故なら、時にはかなりの匂いを発しているからだ。熱帯の熱気のせいで？　はたまた……。

見ない理由のもう一つは、これらはすべて、ヨルバの神々オリチャ（ヨルバではオリシャ）への捧げものか、もしくはまじないに使ったものだからだ。なにのまじないかは知らない。私は入信しているわけでもアフリカンでもないけれど、長いヨルバとのお付き合いに、どこかこの世界とはシンクロしている自分を深く感じている。だからうかつにこれらのものと、同期なんかしていられないのである。

カルメン教会は、その「入口」まではいつもヨルバを迎え入れているわけだ。さすがに、これほど匂うものを教会の内部にまで持ち込む人はいない。それは、持ってくる人の意図なのか、教会側の都合なのか、それまでは知らない、わからない。暗黙の了解で「持ち込まない」のだろう。ヨルバ系の捧げもの、供物があるから、というだけではなく、またご近所ということもあり、私は年中この教会のファサードの前を足早に歩いた。この教会が好きだったからでもある。なぜなんだろう。入るといつも薄暗く、木の床、木の長椅子。正面には青いマリア像。そう、青いということは、イエマヤなのだ。ブラジルでは、イエマンジャ、ルーツのヨルバではイエモジャである、海の女神。この女神は、キューバといわず、ブラジルでも、もちろんルーツのヨルバでも素晴らしく人気がある。一番の存在を放っている、と言っても過言ではない。

信じる人は……。時には信者ではなくても、この信仰に寄り添う人は、なんらかの神や女神に「護られる」、つまり守護神があるのだ。女性の場合、「あなたを護るのは海の女神」、と言われればたいていご機嫌になる。すべてのオリシャ（森羅万象を司り、またこの世の

カルメン教会のマリア様＝イエマヤ様（クリスマスの日）

様々な事象を象徴する神々の総称。そのさらに上におわします、至高神、オロドゥマレは、キューバには渡らなかった……カリブ行きの船に乗りそこなったのか？　もしくは、オリシャ神たちの一番上の位にいるオバタラの大失敗のように、椰子酒を飲み過ぎて寝坊してしまったか……などと言うのは冗談だが。いや、ヨルバの神々の神話は、なんとも滑稽で人間よりも人間らしいほどの数多くの逸話に彩られている。それも各地で違う、そう、ルーツのヨルバでさえも。渡った先、キューバでもブラジルでも）の母であり、大いなる愛を司るからだ。持つ色は、青と白のコンビネーション。なので、カルメン教会に入って一番奥から人々を守るようにおられるのは、マリア様であり、同時にイエマヤ様である。ここの教会にもたくさんの思い出があるが、いつ行っても誰かがマリア様、いやイエマヤ様を崇めながら祈っている。たいていの人は、この地区の地元の人っぽく、けっして富裕な感じのする人たちではない。内部はうす暗く、床も椅子も茶色く、祈る人たちの服装も顔色も、そこに溶け込むようにしてあった。

ここがもっとも輝くのは、クリスマスの日。美しく豆ランプと色とりどりの輝きに飾られて、イエマヤ・マリアさまも、美しかった。その写真は、私のお気に入りだ。しかし、あるクリスマスの日、笑える思い出がある。

インファンタ通りを超えて、ベダード通りも通り過ぎ、高級な地区ミラマールの一角で、私の友人が音楽のライブをやった。私もめかして出かけた。そのめかし方は、う～ん、ちょっとセクシー。なにしろ、キューバではオシャレをする、というのはセクシーになることと同義語である。セクシーではないオシャレなんてした甲斐がないってくらい。だって、オシャレをする理由の大きなもの、そして大半を占めるのは異性をもしくは、趣味によっては同性を、つまりはセンシャルな意味を持つ相手を惹きつけることにあるのだから。キューバの場合は、ほとんどそうである。日本のように、大人しげとか控えめな美しさとかほぼない、と言っていい。

しかし、私とて日本に帰ったらそれなりに意識して、それほど突飛な行動もおしゃれも、ある程度は控えている。帰国したらそういうおしゃれもやりにくい。だから、今のうちに……ということもあり、この日はかなり大胆な路線だった。全身黒で、ミニスカート、ウエストから上はお腹だしだけど、そのままはあんまりなので、そこはぴったり黒のレースで決める。上半身はこれまたぴったりのブラウスと、足元はキューバの定番である、黒網タイツ、キラキラ光るサンダル。どう、なかなかのものでしょう。で、楽しく過ごしたライブの帰り。いっぱい機嫌でアパルタメントに戻ると、ちょうど正面玄関でご近所さんの一団に会った。

「お帰り、おお、めかしてるね。僕たち今から教会のミサに行くんだ、一緒に行こう」

「えっ、でもこの格好で教会はちょっと……すぐに着替えていくから」

「え、どこが？平気だよ、キューバでは、誰も何も気にはしないから。誰も見ていないさ」

「へぇ？そお？」

少し恥ずかしい気分も持ちながら、キューバの人がそういうんだから間違いないだろう、と出かけたのだけれど。これがかなりな間違いで。

いやあ、見られる、見られる。どうしましょう。皆さま、普段はなかなかに大胆な格好で街を闊歩しているのに、この日はミサだけあってなにやら全員、「敬虔な信者」になっていて。あら、困った、と思っても遅すぎで。しかも、この地区で、この教会にわざわざやってくる日本人は私だけ。はぁ、どのタイミングで帰るか、そればかりを考えていた始末。

この日、良かったのは、アフリカでもブラジルでも見た、教会のミサで、ファンキーなアフリカっぽいリズムの音楽を聞けたこと。キューバでもやるんだね。アフリカ系とカトリックが混ざったもの、といえば、一気にサンテリーアの音楽へ行ってしまいそうだけれど、そうではない、北アメリカで言えばゴスペル系の、しかしそのままではなくそれぞれの土地の黒っぽい音楽とリズムのそれがあるのだった。「楽しいなぁ」と思いつつ。皆、私の事を見て見ぬふりしつつ……。これはキューバではけっこう珍しかった、なんとなく「あの人、何？」の雰囲気に、いえこれまでね、と私を誘ったその友人が幸いにも最後列あたりで女友達と話し込んでいるところを見つけてエクスキューズし、帰ったのでした。

いやあ、楽しい思い出だ。

愛の女神（イエマヤとオチュン）とキューバの愛

カルメン教会のすぐご近所に、もう一段階、ルーツに近い館、いや家がある。カルメン教会の前からインファンタ通りを斜めに渡ったところにある。土曜日になると時々、ここでもサンテリーアの儀式をやっていた。扉が開けてあるときには内側を覗き見ることもできる。時には、丁寧に「どうぞ」という仕草で迎え入れてくれることもある。でもなんとなく見ず知らずの人の所は遠慮がちだ。ブラジルでもどこでも、サンテリーア系のものに触れる時には、何かしらの中介者を置くことが多かった。これはマナーとして。どこの誰だかわからない、自分たちにとって、とても重要でいて、ある種、外と内のないようである境界線を感じさせるものに触れる時には。

そのため、この家に迎え入れられても長居したことはほとんどない。ある日。この家の前を通りがかると、珍しく扉が開いていて、しかも人がいなくて、つまり儀式中ではなくて、中が見えた。

壁に描かれたヨルバの絵画。大きなイエマヤと天使たち。混じっている

なんと！壁一面に、イエマヤ様、と言えば良いのか、しかしまたしてもそのものではなくて、限りなくヨルバに近い、しかしどこかマリア様を感じる、そんな絵だった。「あのぉ、撮っても良いですか？」尋ねるとあっさり「いいわよ」の言葉。拍子抜けしそうになりながらも、嬉しく撮影。何しろ、サンテリーアならびにこれ系統のヨルバの儀式は、基本的には「撮らない」ことに

なっているのだから。なので、儀式の最中にカメラを取り出すのは刺激が強すぎる。だから、こうして儀式のない日にはかえって安心して、その室内も撮れるのだった。それにしても、大きく壁一面の、すばらしく迫力ある女神の絵だった。絵の色は、青と白。つまり、向かい側の教会におわします、海の女神イエマヤだった。

そのイエマヤに張り合うほどに女性の間で人気を誇るのは、前にも書いたオチュン。愛、そのものの女神である。素晴らしくセンシャルでコケティッシュな女神である。司るのは真水、色は黄色……。この女性像は「Hoy mi Habana」の歌詞の冒頭で歌われる、バルコンで「今宵の愛の予感をアバニコ＝扇子で振り撒く」、まるでその濃厚な香りをまき散らしているような豊満な女性を思わせる。あれこそ、キューバの愛の女神、そして……国の守り神。

なんという国だ。「愛」しかもセンシャルな愛を司る女神が国の守護神とは。

ハバナから東へおおよそ８００キロ。東京起点に考えると広島県、もしくは札幌よりも少し近いくらいにある古都市、サンティアゴ・デ・クーバ。キューバのハバナ以前の首都、ただし第二番目の首都である。最初の首都はキューバ島の東の端であるバラコアであるけれど。

現在のキューバの首都はハバナだし、今はこの街を起点にすべてが回っているが、歴史的には多くのものが、キューバの東から、サンティアゴ・デ・クーバ周辺から起こっている。独立運動しかり。また、フィデルとゲバラ率いる革命軍しかり。独立運動に関して言えば、ホセ・マルティも、それ以前の「ドミニカ人」マキシモ・ゴメスも、東部の町から運動の火の手を挙げている。

それにしてもキューバという国は、ずいぶんと昔から常に海外との交流の中で歴史を作ってきたものだ。ホセ・マルティはキューバ人ではあるが、両親の血筋としてのスペインにも長くおり、多くの国の大使をつとめながら、かなりの期間滞在したニューヨークで当地のキューバ人コミュニティと独立に向けての算段を始めた。マキシモ・ゴメスはドミニカ人でありながら、ドミニカの独立運動からの流れでマルティと合流、キューバの第一期の独立運動を大きく動かした。

この頃の、マキシモ・ゴメスの名言で、思いっきりぐっと来るものがある。独立を望まないスペイン側からの提案、米人（この場合は中米）とラテン人が一緒になり、云々……に対して彼の放った言葉。

「我々にとって人種はただ一つ、平等と尊厳を望む人種だけだ」

おお、なんと愛に満ちた言葉だ。

あと一つ、やはり、キューバにおける改革に加担した外国人はチェ・ゲバラ。フィデルとともに革命を成立させたアルゼンチン人である彼の言葉。革命に必要にものは？　と尋ねられた答え。

「愛。愛ある革命でなければ、なきに等しい」

美しい。なにかの運動を成す人への指針にもなるのではないか⁉　なんと大切な言葉か。

そうだ、愛の話しだった。

革命の闘士フィデル・カストロも東部の古都市サンティアゴ・デ・クーバ近郊の出身であったため、その戦いののろしも東部から起こった。そしてこの街の郊外には、キューバの国の国家教

サンティアゴ・デ・クーバの花売り。
ひまわりの花の黄がまぶしい。

会がある。そう、ハバナではなくて、ここである。コブレ教会として知られるそれは、サンティアゴの街から車で40分程度。そして……この教会に祀られているのが、黄色い女神であるオチュンなのだ。サンティアゴからコブレに向かう街道添い、教会に近づくにつれて花や聖像を売る小屋が立ち並び始める。多くの色とりどりの美しい花々の中で、特に目立つのは間違いなく黄色である。女神に捧げるためなのだから。黄色の女神オチュン。

多くの人々が参拝する、この一見カトリックの教会にはいつも数多の人々が集っている。手に手に花を持ちながら。正面の入り口から薄暗い聖堂に入ると、どこの教会とも同様、正面通路を挟んで右と左に木製の椅子の列。その正面通路の遥かに奥の上方には、オチュンの黄色い像が黄金の光を浴びながら向かえてくれる。

国教会。その最高の位置には、ヨルバ神の黄色い女神像。なんという国であろう。キューバは、オチュンに護られた、「愛の国」だったのだ。

そのオーラは、国全体にまんべなく生きている、そんな気がする。だから、私もあなたも愛に満ちたキューバに惹かれ、好きになるのだ。

また、常にサンティアゴとハバナは繋がっている、と言っても良い。何かが起きる発端は、過去の歴史では東部にあった。しかし、そこだけで事が成《な》るわけではない。首都のハバナまで到達できなければ、この国で成立したことにはならない。

いつも、独立も、革命も、そして実は音楽も、この地をゆりかごとして生まれたものも、西部のハバナに向かって、キューバ全域を巻き込みながら、最終地点としてハバナまで行って成立する。

水を渡ってレグラ地区

すっかりハバナから離れてしまった、ように見えても本当に離れたのではない。ハバナにも、オチュンの気配は濃厚にある。その一つは、私も大好きなレグラ地区。ここへ行くのにもっとも便利なのは、旧市街にある港から、パタパタと音をたてる、ランチータと呼ばれるフェリーに乗って渡ることだ。実は、本当はここは地続きなのだが。地図を見るまで私も知らなかった。もし、ここまで陸路で行こうとしたら大変な遠回りになる。たぶん、5～6キロはあるだろう。

旧市街から海の反対側へ行くのは、トンネルを通った先のモーロ要塞や、フエルサ要塞。モーロはマレコン通りから見ると灯台のある所として、否が応でも目に飛び込んでくる。「冬の波しぶき」の写真の多くは、この灯台を背景に撮られているものも多い。フエルサ要塞は、夜の砲台の音儀式で知られていて、ここもかなりの観光客が訪れる。また水を挟みつつ目を右手に移せば、ハバナの旧市街を見守るように立つクリスト像。ここは、米国との一時的な国交正常化のたまものであった、大型船舶が入港してくれば、これまた否応なく船舶の背景として目に入ってくる場所だ。しかし、そこではなく、もっと内陸の港から。しかも、小さなフェリーで向かうのがレグラ地区である。

ランチータ〔小さなボートの意味〕・デ・レグラ、とされる港に着けば、こちら側のハバナとはがらりと雰囲気の違う街が広がる。言ってみれば、ユネスコの世界遺産として注目をあび、海外からの人々もやってくる旧市街とは違い、あまり人のやってこない、家々の壁も色はあってもさほどカラフルとは言い難い、町中がグレートーンの記憶の中にある。地味に昔ながらの生活を続ける、そんな人々の街だ。

しかし、私の体験では、ここでは突然に人々の写真が撮れるようになった。人々の素顔のある町。同時に、港からさほど離れていない場所にあるのは、レグラの黒いマリアの教会である。実際に、ここには黒いマリア様が何体もある。やはり、イエマヤ。青と白。そして、黄色いオチュンの肌の色は少しだけ明るい。オチュンはムラータ〔アフリカンとヨーロッパの混血〕であるらしい。また、教会の「本殿」ではなく、外にも礼拝所はある。あまり時間のない人が、それでも女神に礼拝したい人がやってきて、さっと拝んでいける場所なのだそうだ。そこにある女神も肌の色は濃い。なにしろ、この地区に住む人たちは、水を渡った旧市街よりもさらに肌の色の濃い人たちが多いのだ。次々とやってきては、膝まづき、拝んでは去っていく人。人の流れは途切れない。その外にはまた、サン・ラザロの像……。病いを持つ人々を助ける神、これについてはまた、後にしよう。

また、ここで一つ大切なことを書き記しておかないとならない。このレグラ地区では、祭りがある。ヨルバの神々を祀る祭りが。それぞれ神様を祀る日は決まっていて、その日には聖人の像と人々が列をなして練り歩く、らしい。というのも私は、この祭りを写真でしか知らないからだ。いつか行きたい、どの神様の日でも。それを願いつつ、まだ叶っていない。しかし、叶っていないことがある、というのは素敵なことだ。いつか、叶う日を夢見ることができるからだ。叶いますよぉに……

さあ、軽く散歩にでかけたつもりが、すっかりハバナの、キューバの深部に入ってしまった。しょうがない、なにしろ案内人の私が、アフリカのヨルバに魅せられたから、ここキューバまでやってきた人なのだから。

インファンタ通りを挟んでセントロとベダード、そして旧市街と海も渡ったレグラと回ってきた。ヨルバと縁の深い、東部のサンティアゴ・デ・クーバから、コブレ教会までも回ってしまった。でも、私たちはまだまだ、ハバナのセントロとは縁は切れない。

再び、セントロに――「骨の町」

何しろ、ここは「骨」のある街なのだから。

骨？　そう、ハバナの街の地図を広げてみてほしい。セントロのど真ん中には、その一角の名前として「カヨ・ウエソ」と書かれてある。カヨは、島という意味だが、ここでは地域を指すだろう。そして、ウエソは骨である。

「どうして骨なの？」なんどもいろいろな人に聞いたけど、誰もその理由は教えてくれない、知

客待ちの自転車タクシー

街の果物屋

らない。どうにも気になる名前だ。ある日、「あの骨ってさあ、動物のなの、それとも人？」と訊いたら、訊かれた相手は、けっこう喜んで興奮していた。「どっちだろうね！」

しかし、この名前を最初に聞いたのは、オマーラ・ポルトゥオンドさんへのインタビューの時だった。この地域の近くの出身なのだ。あのあたりではいつも面白い音が絶えず聞こえていて、見とれてしまって、なかなか家に帰れなかった。箱型の太鼓だとか（カホンのことを指すのか）初めて見たのもあそこだったし……。

人々が暮らし、小さな八百屋や果物屋があり、路上の商売人が、鈴なりの玉葱やニンニクを売り、花売りがリヤカーを押し、額に汗の玉を光らせた自転車タクシー漕ぎが、えっちらおっちら通り、子供が遊び、犬がぼぉっと立っている。時には人も、ぼおっと座っていたり、お喋りをしている。そして、そこから太鼓の音や歌が響いてくる。そんな街がセントロだ。

こう書いてくると、なにやら人々の生活の匂いがし、家族や近所とのきずなの強い、いい下町に思える。しかし、ここは、この章の最初に書いた通り、生易しくない歴史も持っているはずだ。最初に「カヨ・ウエソ」の地区の名前を教えてくれた、オマーラさんの記憶にもそれはある。

彼女は、ムラータつまり、アフリカンと白い人の間の子供である。現在は世界一、人種差別の少ない国、と誇れるこの国でも、昔、つまり革命以前は、他の地域と同様に差別があった。

アフリカンのお父さんと、白いお嬢さんだったお母さんは、お互いが恋をしあって一緒になったが、母親の家庭からは大反対されて勘当同然になった。だから、彼らの生活は、愛はあっても苦労に満ちてていた。

ここで、一つまた歌を紹介しよう。「Tabu」。そうだ、日本の私たちにはなじみの深い、あの曲。しかし、そのもともとの歌は、キューバの歴史を、人種差別の歴史を表している。

歌詞の最初は、美しくアフリカを讃える。そして、またヨルバの神々が登場する。

Tabu

マルガリータ・レクオーナ作

遠いアフリカの魂、私の熱い胸を満たす
貧しいコンゴの奴隷の息子たち
椰子の木と原始のジャングル
神々はミステリアスで残酷
オチュン　イファァ　オバタラ　チャンゴ　イエマヤ〔すべて神々の名前〕

中略

そして、ここでは、ネグロ《ママ》が白い女性を見つめたら
それは、タブー、タブー、タブー

オマーラさんは、情愛とともに、両親の悲しみも込めてこの歌をうたう。

オマーラ・ポルトゥオンド

「今は違っているね？」そういうと、キューバの人は、皆、「そうだ」と言う。たとえそれが100％、なくなったわけではなくても、別世界になったのだ。キューバにいると、ほとんど人種を意識しないでいられるし、今では神々のネックレスをじゃらじゃら付けて歩くこともできるようになった。素晴らしい、恐ろしいほどの違いである。

こんな歌が、日本の、私も皆も大好きだった、ドリフターズによってコミカルに「ちょっとだけよ」と歌われた、あの「タブー」の元歌なのだ、というのはまだあまり知られていないだろう。嬉しい、面白い発見である。というのも、今のキューバが別世界になれているからである。

ハバナ散歩〈オプション〉23通り Avenida

スペイン語で Calle（発音はカジェ、もしくはカィエ）とは、通りのことを指す。大きな通りは Avenida。セントロと、ベダード一帯は印象的な名前の付いた Calle がたくさんある。行ってみたい？　ここからはオプション。行きたい人は一緒に出掛けよう。

まずこのあたりの一番の目貫き通りといえば、23通り。これは Avevida である。あの海辺のマレコン通りに端を発し、一気にミラマールまで続く大きく長い通りだ。大きいだけではなく、ベダードの主要なものがこの通り添いに密集している。まず、目につくのはあの丈の高いホテル・ハバナ・リブレ。目立つから目標にできる。

これは個人的な思い出に近くなるが、私が最初に歌わせてもらった「KING BAR」もこの通り沿いだ。このバーはゲイを堂々と自称する新しいオーナーが始めた。あっという間に有名になり、稼ぎまくっている彼は、彼氏と世界を旅して歩いている。現代のキューバの一つの象徴のような面白い人物である。その姿の在りようや、考え方がどうの、というよりも、私は彼が自分独自の考え方で「生き抜いている」ところが好きである。会えば、とても紳士で頭の切れる、しかも親切な人だ。ハバナで真っ先にインタビューさせてもらった人だった。まだ店ができて間もないころだった。彼がこういう店を始めることができたのは、スペインに出稼ぎに向かい、夏の間に稼ぐことのできるビーチ沿いの街で、働いて働いてお金を貯め、キューバに戻ってきて、この家を買った、ただし旧くてぼろぼろの所を。それを改修しまくって、今のモダンで綺麗なバーに仕立てた。音響にもなんとかキューバでできる限りに上を目指している。ここでのライブは「ウチはレストランだからね、音楽は、皆へのプレゼントなんだ。それではまったく稼ぎが出てないんだよ」。それだから、この店の人気がでる理由がわかる。普段は、この店での食事にお金をかけられない人も、ライブの日にはドリンク代だけで、もしくはまったくお金を使わず音楽を楽しむことができる。キューバでは珍しい、シー・フードも食べられる店だった。「キューバで何が欠乏しているか、それを見極めてメニューを作っている」。彼は今はハバナにいることも以前よりは少なくなっているけれど、ぜひまた会いたい人物の一人だ。

ロベルト・フォンセカ（pf）とそのグループ（ベダード23通りのカフェ「狐と烏」〔キツネとカラス〕）

また、もう一度マレコン側へ戻ってくると、23通り沿いには名の知られたライブ・バー、「La Zora y el Cuervo」。意味は狐と烏（キツネとカラス）。

ここは、もう一つの名の通ったライブの場である「ジャズ・カフェ」と双璧を成す場だ。「ジャズ・カフェ」は、ベダードと言えど、大型の高級ホテル、コイーバ「Hotel Cohiba」〔有名なキューバの葉巻の銘柄の名〕のすぐ近くにあるため、私たちのいるこの場からは少し離れてしまう。

「狐と烏」は、私が常に住んでいた地域にあり、たいていここから歩いて5分の場所に住むことにしていた。夜遅くなっても歩いて帰れる距離が理想的だったからだ。ここを起点に考えると、時々その一階で歌わせてもらっていた、ホテル・ハバナ・リブレも、さらには、23通りを下ってすぐに左手に見える、ハバナのもっとも重要なホテル ナシォナルも近い。ナシォナルのオープン・カフェの夜でも時々歌わせてもらっていた私は、もうこの地域から離れることは考えられない。

ホテル・ナシォナル（ホテル・リブレの窓から）

ホテル・リブレと、23通りを挟んで隣り合うようにしてあるのが映画館の「ヤラ」（この名前も独立戦争がらみ。セスペデスが最初に独立を宣言した場所の名前である。つまり10月10日通り＝インファンタ通りと対を成す）。もっと通りを下ると、右手には保健省「Ministerio de Salud」。忘れもしない、コロナ禍で幽閉期間中、毎日テレビで情報発信をしてくれた保健省である。この前で私は、毎日、リポーターとして画面に登場していた、保健省のフランシスコさんとばったり会って感激した。「Gracias!」それを言うのが精いっぱい。彼は、目を真ん丸にしている私に、ちょっと笑って肩に一瞬そっと手を置いてぱっと消えた。

ホテル・ナシォナルの二つの塔を見ながらさらに

下れば、すぐにマレコン通りに行きあたる。マレコンにでる直前には、複数の航空会社の入った大きなビル。ここにも「たんまり」というほどの思い出。この近くには「Etecsa」キューバ国営通信の、出張所。何度ここに並んで、電話カードや、ネットのカードを買ったことか。ここで私は、「キューバ独特の並び方」をまず学んだ。並ばない並び方。新しく来た人は「Ultimo?（最終、つまり最後の人は誰）」と訊き、「はぁい」と手を挙げてくれる人を覚える。全員がそうして待つ、のだ。それなら、日当たりの暑い所に立たなくても、涼しい木陰でゆっくり座って待つこともできる。ただし、一つの前の人の気が変わって突然どこかに行っちゃったり、もしくはその人の顔を忘れると、ややこしいことになるが、笑える。だいたいにおいて親切なキューバ人は、自分が去るときには次に待つ人に声をかけ「あの人が、あなたの一個前の人だから」とちゃんと教えてから行くのだけど。

私たちが、ぐるぐると散歩した例のインファンタ通りは、23通りがマレコンに突き当たった場所で、Y字を成して始まる。覗き込むと「カルメン教会の塔」がしっかり見えているので、わかる。インファンタ通りは、もう一つの名前に「10月10日通り」というものを持つ。これは、第一時独立戦争を、マヌエル・セスペデスが、やはり東部の街で37人の同志とともに始めた日付である。彼は大砂糖工場を持っていたが、そこの奴隷たちをまず解放して、キューバ独立の宣言をした。まさにこの地域にふさわしい名前でもある。10月10日通り＝Dies de Octobreは長程を持つ通りだ。まるで、独立までの道のりを暗示させるように。少しくねりながら、ベダードを出て、ついにはビボラ地区「Vibora」も過ぎてその名前が変わるまで続く。

バポール（Vapor）通りへ行こう！

23通りまで戻り、手前の2本目にあるのは、バポール「Vapor」通り。この名前でときめく人がいたら、かなりな音楽通。何故なら、現存する最も旧いソンのグループ「セプテート・ハバネーロ」〔ハバナの6人組〕の素敵なヒット曲に「Vapor通りへ行こう」があるからだ。「ここだったんだ」。セントロのど真ん中。おじちゃんたちが昼間から集ってラムの杯を空け、冗談を言い合い、だんだん盛り上がって演奏にも熱が入る。これがハバナのソンだったんだよね。これは、ネット上の配信でも見られるので、ぜひチェックできる人は見てほしい。まさに胸が熱くなります！請け合い。

また、私事の話になるが、実はハバナで一番最初に歌を習ったのは、現在のこのグループのボーカリストさんである。有難いことだ。

サン・ラザロ通りとサン・ラザロの祭り

サン・ラザロ「San.Lazaro」通り。これはハバナ大学の正門前から出ている唯一の幅広の通りで、間違いようのないものだ。大学でなにかの集会があり、その後に練り歩くとしたらこの通りである。何度か、その光景も見た。23通りと並行する形でマレコレに向かう。

この通りとインファンタ通りの交差点から何本目かに「Biky」というレストランができた（入口はインファンタ通り沿い）。まさにハバナの食の救世主みたいに美味しい。スペイン人が経営していた。レストランのならびには同じオーナーのケーキ屋さんも開店し、いつも長い列ができていた。キューバの人もおいしいものはやはり好きなのだ。こういうケーキ屋さんはそれまでなかったから、ずいぶん話題になり、皆が知っていた。いつも長い列が出来ていた。

実は「Biky」には私のモノクロ写真が飾ってある。私が提案して飾るように勧めたのだ。しばらく帰国していても、帰ればもちろんそのままに6点、飾られている。嬉しい限りだ。もともと、この店にはキューバの旧い、アンティークの写真が飾られていたけど、それはそういうものを提供するラボから買うかしたものだ。そこに混じって、額縁に入った私のモノクローム写真。まだアンティークとまでは言えないけど、もうそろそろ撮影から20年以上が過ぎようとしているから、しばらくしたら「アンティーク」の仲間に入れるかもしれない。Bikyがずっと続いてくれることを望みたい。

サン・ラザロ通りを海に向かって左手には行きつけの中華料理屋さんがある。うまく中国語の名前が発音できないけど、ここしかない。私の贔屓というだけではなくて、ここはハバナでもっとも美味しい。何度通い、お世話になったかしれない、食べ物は全部、美味いし、スープのお醤油味がありがたかった。あの味には癒された。

サン・ラザロを、ハバナ大学前に立ってみると、V字に分かれて右手に下る道が、海神の名の「ネプトゥーノ」。この通り沿いにも何度か住んだことがある。なぜだかわからないけれど、この通りはいつも涼しい風が吹く。たぶん、ハバナ大学のこんもりとした、森のような緑から出てくる風か、もしくは風向きが逆ならば、青く輝く海風がマレコン側から吹き抜けるせいではないか、と思う。では、何故、同じ方向に向かって走る、サン・ラザロは涼しくないか。たぶん、幅が広くてその舗装道路に太陽が照り付ける、車通りも多いせいだろうか。間違いなく、ラザロよりも、ネプトゥーノが涼しかった！

ネプトゥーノは住む人にとっても、旅する人にとっても大切な通りだ。何故なら逆方向になるが、あと一歩で旧市街に入る境目、プラド通りの横っつらから、マキナこと、乗り合いタクシーに乗れるからだ。ハバナ市内の「乗り合いタクシー」の経路と乗り場は、慣れればどおってこともないが、わかるまでには、そこそこ苦労する。旧市街に行った時には、いつもネプトゥーノの出発点から、たくさんの「乗りたい人」とともに、タクシーを捕まえる闘いに参加するのである。これに乗るとネプトゥーノ通りをただ、ひた走り続けるだけでインファンタ近辺に戻ってこれる。行く先によっては「乗車拒否」されることもある乗り合いタクシーだけれど、インファンタ通り行きなら間違いなく乗れる。席さえ空いていれば、だが。ネプトゥーノは、カルメン教会の真横を過ぎてインファンタを渡る。時には、経路を変えて途中で右折してサン・ラザロに入ってからインファンタを渡ることもあるが、どちらも近い。

サン・ラザロも、キューバでは重要な聖人である。もちろん、ヨルバがらみだと、ババルアエ（ヨルバではオバルアエ）……この祭りについて少しだけ書こう。

いったい、どのくらい以前だっただろう。ある一枚の写真に衝撃を受けた。夜。暗い路上を這う人。「なに、これ？」。そのモノクロ写真の発する、異様な空気、迫力に目が釘付けになった。

こうまでして、この人が向かう先は、どこなのか？　いったいなんのために？　「サン・ラザロの祭り」とすぐわかったのか、どうだったか。それが、キューバで知られる重要な祭りだとわかったのは、ずいぶん後だったように思う。「いつか、見てみたい、撮りたい」。

そんな想いが結実したのは、２０１５年に住み始めて後の事。何日に行われるものなのか、そこから調べる必要があった。年末も近づく、12月。しかし、モノの資料では、16日となっていたり、17日となっていたり。

その理由は、最初に記した、夜に這う人のためだった。遠方から、ハバナの郊外にある「リンコン教会までの道のりを「這って」目指すには、前日の夜に出発する必要がある。そのために、出発日が前日の日付になるらしかった。

リンコン教会は、ハバナの中心部からは、車で30～40分、結構いいスピードで走らせたあたりにある。その教会目指して、サン・ラザロに敬意を示す人、感謝をささげる人たちが、這って集まるのである。とは言え、全員が這うわけではない。その状況を詳しく話す前に、そもそもサン・ラザロとはなになのかを記しておきたい。

サン・ラザロ

ラザロは、ルカの福音書に登場する人物、とある。ある金持ちと、病と身体じゅうのおできに覆われた貧しい人との物語である。

紫の衣装をまとった金持ちが、助けを乞う病人を助けた話は、どこで読んだのだろうか。これは、大いなる「書き換え」の物語で、もともとの寓話は、死後の世界で双方の立場が逆転する救いようのない世界が描かれる、厳しい話である。この寓話は、つまりは警告。「富に執着し、憐みの心、即ち貧しい人々や弱い人々を愛する心を失うことの危険性に対して警告を発している。そして、その警告はまたいつでも悔い改めへの招きの言葉でもあった」（Wikipedia「金持ちとサン・ラザロ」より）。

しかし、これを読むと、楽しさや愛情いっぱいの導き、というよりも恐怖と警告による導きは、どうもキューバの空気にそぐわない。ここに最初に書いた「書き換えの物語」はキューバでなされたものなのだろうかと、勝手に想像する。

また、キューバで独特なのは、このサン・ラザロも結局はヨルバ神と結びついていることだ。それは、ババルアジェ。（ルーツではオバルアエ）もともとの地、ヨルバでは天然痘の神、と言われている。つまり、身体じゅう、できものだらけの部分と呼応している。私が、初めてこの存在と出会ったのは、ナイジェリアのヨルバの地。トゥインズ・セブン・セブンという高名な音楽家で踊り手というアーティストの村、オショボ（Oshogbo）でのことだった。緑あふれる池の畔。ある司祭さんが教えてくれた。

「この世界では人間たちがいつまでも争いごとをやめなかった。いい加減、堪忍袋の緒を切らした至高神は、この世に天然痘を送った。その恐ろしさにより、初めて正気を取り戻した人々は、やっと争いごとをやめた。それによって、天然痘は、遠くの村に去っていった」。

ここでも、警告と悔い改めの物語。しかし、真っ青で綺麗な空の元、緑に満ちた空気と水の匂いの中で語られると、なにかほっとするようなものも含まれている。この物語が、大西洋を越えてキューバへ渡り、一方ではヨーロッパから来たキリスト教の物語とドッキングした。

キューバでは、数多あるヨルバの神々の中でも、サン・ラザロ＝ババルアジエの人気がとても高い、というのは象徴的なもののようにも思える、というは穿ちすぎていて、また違う、とも思う。

それは、この祭りに参加している人たちの、楽しげな、時には嬉しそうに家族連れで、子供連れで参加している、ピクニック的気分からも発生している。確かに、教会に向けた何キロもの道のりを「這っていく」人たちの姿は、鬼気迫るものがある。掌と膝から血を流しつつ、首をうな垂れてひたすら最終地点に向かう人々。この人たちの数は、歩いて向かう人たちの数％だろう。

また一方では、車椅子や、杖をついて歩く人たちの姿もかなりいる。それは、サン・ラザロが足の守り神でもあると信じられているからだ。しかし、この人たちの表情もにこにこと明るいし、カメラを向けても、嫌がる人はいない。皆、笑顔でポーズをとってくれる。足に難があってもこうして参加していることが誇らしいというように。ここが、とてもキューバらしい。

そして、ほぼほとんどの人たちが身につけている衣装の色は、紫。これは例のあのお金持ちが着ていた衣装の色である。また、ヨルバ神のババルアジェの色も、紫である。

だが、やはりとても印象的なのは、「這って」向かう人たちである。この人たちの表情はやはり明るく生き生きなどというものからはほど遠い。なにしろ、身をささげている行為なのだから。「這う人」には、助ける人がついている。行く先を清めるように、椰子の葉かなにかで出来た小

這って教会前に辿り着いた人。這う先を葉っぱで浄める

さく短い箒で、祓っている。一諸に「歩く」家族が付いていることもある。それであっても、教会近くまで来た這う人の姿はそうとう痛ましい状態だ。息も絶え絶えなくらい。何カ所かに赤十字も待機していて、万一の時のための配慮もされている。

それでもとうとう、這ったままに教会に到達した人は、大いなる尊敬の眼差しで迎えられ、たくさんの燭台に飾られた祭壇の前に、尊敬をもって丁寧に導かれる。感動と安堵の瞬間だろう。どうしてここまでするのか。その理由は人さまざまに違いない。「願をかけて、それが叶った感謝」の人もあれば、こうして「願掛け」をする人もあるのかもしれない。

教会の内部は、多くの蝋燭の炎に照らされて光が揺らめき、ささげられた花々の色と香りに満ちている。美しくあると同時に、壮絶さも目の当たりにする祭りである。

私も「あの写真」を見て以来、やっとのことで目撃することができた。人々が「這い、歩く」路上は車の立ち入り禁止である。教会の手前5キロ地点あたりから足を使ってしか、入れなくなる。私も、重たい機材とともに、とことこと歩いた。「サン・ラザロの祭りに行った」というと、全員が「這ったのか!」と訊く。「いいえ、歩きました」と答えると、これまた全員がほっとしたような顔をする。それでも往復10キロを写真を撮りつつ、炎天下を歩くのは、それなりの修業でもあった。

人々の顔の楽しさがずいぶん救ってくれたが。水を持参していても、すぐに底をついてしまう。水を満載したトラックもあり、それを見つけた人達は嬉しげに走っていき、水を飲み、顔を洗う。

すべてが、リンコン教会を中心地点とした、サン・ラザロと、ババルアジェに捧げられた紫色の祭りである。その日の夜、歌を習っていた先生のライブがあった。会場に到着した先生の衣装も、またメンバーの服も紫色だった。たとえ教会に行かなくても、これほどにサン・ラザロは人々の中に浸透している。

また、リンコンの祭りが近づいてくると、街のあちこちで、大小のサン・ラザロの像が登場する。買うことができる。家に置いて祀るのだろうか。大きなものは、等身大のサイズさえある。私がキューバで最初にこの像に接したのは、いつだっただろうか。あれもやはり、緑と水の豊富な、ハバナから南西へ約160キロ向かった、ピナル・デル・リオの田舎のことだった。その日は、ランチを広々と田園の拡がる戸外で、特別に食べさせてくれる農家に呼んでいただき、食べた。いい感じだった。キューバの田舎の素敵さを満喫させていただいた。その家の庭にあったのが、今思えばサン・ラザロ。杖を突き、半身裸体で、むき出しの脛にはたくさんの血の跡。それを犬が舐めている。ちょっと見ると十字架ではないキリストのようである。私の最初の写真集である「Cuba Calle Suave」にこの写真を載せると、ほとんどの人が「キューバのキリストさんは、杖を突いているの?」と訊いたものだ。

これが、サン・ラザロ像との最初の出会い。そして、それが、またあの迫力あるモノクロ写真のその向かう先と同じ、と分かるまでもそれなりの歳月が流れていた。

また、遠く巡り巡って、アフリカはナイジェリアのヨルバ・ランドの村、オショボで教えていただいた、オバルアエ（＝ババルアエ）から、ここに辿り着くまでもずいぶんな歳月が流れていた。なにしろ、ブラジルのバイーアも経由していたのだから、私の場合。

セントロのたくさんの、小さなCalle〔通り〕

さあ、再び、セントロに戻って。ここには想像をかきたてる名前がたくさんある。聖人の名前が付いたものも。「サン・ミゲル（ミカエル）」大きな翼をもった聖人。「サン・ラファエル」。これに交差するようにして、サン・フランシスコ。並んで次は、エスパーダ「Espada」＝刀、何故？　ホスピタルはそのまま。ソリダッド「Solidad」＝一人きり、これはちょっとやめてほしいけど。とくれば次は、「オケンド」。この通り名は人の名前でもあるかもしれないが、どうもヨルバを連想させてならない。ラファエルからちょっとくだったところに走る、サンハ通りと交差する。サンハ　イ　オケンド（Sanja y Okendo）あたりで、濃厚なサンテリーアの儀式を偶然見て、神々への演奏以外の時間、祭壇などを撮らせてもらった記憶からか。サンハもオケンドも私には刺激的な名前に思えてしまう。

さて、このあたり、サン・ラザロやネプトゥーノあたりを「私は、僕は観光客です」という顔をして歩いていると、必ず声をかけられる事柄がある。「カジェホン・デ・ハメル＝Callejon de Jamel に行かないか？」もちろん、最初からこういう声のかけ方はしないし、相手はそう言われてもわからないこともあるだろう。ここは、「見たい」とおもう人に「ルンバ」や、「サンテリーアの儀式に近いこと」をしている場所だ。

もともとルンバとは、そのリズムや音だけを指さない。だいたいすべてのアフリカ系のものがそうであるように、音と、リズムと、踊りと、そこでなされている何物か、宗教的な場、すべてを指す。そのルンバは、サンテリーアから派生した、しかし宗教儀式そのものではなく、もっとポップな、音楽と踊りとしてだけでも楽しめるもの、と言えるか。それでも多くの場合、サンテリーアで使われる、三つで一組である大中小の太鼓、バタで演奏されることも多いし、踊りもだんだん熱くなって「あちらの世界」に近づけば、奏で踊る人たちにはサンテリーアと見わけもつかなくなるような、トランスにも近づく場合もある。

ただし、ルンバの一般的な踊り方としては、男女が一組になって踊り、双方の掛け合いと駆け引きなのである。男は、女の「急所」をハンケチや布切れで狙い、命中してしまえば勝ち、女の負け。女は、巧みにそらし、誘発して男をじらす。まるで、恋愛の駆け引きのようだ。このダンスの場合は、完全に女が避け続け、どうにも「女の勝ち」が判明した時に終わる。セクシーであり、ゲーム的でもある踊りだ。

「Callejon de Jamel」は、そのようなルンバ、サンテリーアの場であると同時に、そのあたりの建物の壁には、多くの絵画が描かれている。アフロやヨルバを連想させる絵だ。この場は、サルバドールという人物が「今は消えたが、もともと路上にあったルンバを復活させたい」という想いから始められたそうだ。しかし、この場と決めて、常にそこでやり続けている計画そのものが、どこか人工的じみてしまうことには変わりない。短期間の滞在で、少しでもキューバらしさを味わいたい人には逆にうってつけかもしれない。あくまで私にとってだが、その志は理解できても、何故かいつまでも少し馴染めなさの残る、そんな感覚は否めなかったが……。

しかし、これも世界のどこにでもある「宗教儀式の内側」と、「それを見たい外部の人への障壁になることができ、しかもちょっとしたサービスの一環」になりえる、パーフォーマンスの一つとしてみれば、決して否定したいものでもないことは確かだ。

あえて贅沢をいわせていただければ、本物の自分たちのための儀式にはまったく違う熱があることは確かだ。

さきに少し触れた「サンハ　イ　オケンド」あたりで偶然出会った儀式。ここの素晴らしい祭壇。そしてバタの鳴る音。また、旧市街で、これまた偶然出会った。かなり貧しそうな家での儀式。扉が開いていたので、垣間見ることができた。そして、ここのバタの演奏はバタではなく、カホン。

あの、オマーラさんが「珍しい箱型の太鼓」と語っていた、ものである。カホンの発祥については、いろいろと言われており、一説にはペルーとも。

そのカホンを三台並べて、すばらしいバタのリズムを奏でていた。感動した。たぶん、バタはそこそこ値の張るものだ。だから、箱さえあればつくってしまえるカホンで、サンテリーアをやっていたに違いない。そのリズムの巧みさ！　覗き見る私の表情を見て「いいから入れ」と合図もしてくれた。しかし、あの時は、何故入らなかったのか、記憶にないけれど。多分に私の中の「遠慮」があったんだろうな。これからはもっと厚かましくなろう。呼ばれれば、入っていこう。良いではないか。そう私が思えるのも、この先、どこまでこういう贅沢で素晴らしく、かけがえのないものを味わえるかどうか、わからないではないか、と思えるようになったせいだろう。

こうして、生活の中にあるルンバや、サンテリーアの現場にも、何度も立ち会わせていただいたことはあるけれど、一番記憶にある不思議な体験を一つ、お話ししておこう。

サンテリーアの太鼓、その不思議

旧市街の一角だった。その日は、呼んでいただいて出かけたサンテリーアだった。ルンバのバタの名手としても知られる太鼓手の音。ルンバの名手だが、サンテリーアの日は雰囲気がまるきり違っている。なにか俗からは離れた境地から、もしくは境地へ向かっているかに見えた。おのずとこちらの神経も集中する。この日はオチュンだった。実は私もほんの少しではあるが、バタを習ったことがある。ヨルバのルーツではなく、キューバ式のバタを。ルーツとキューバでは、詳しく見れば違いがある。もっともおおざっぱなところでは、ヨルバでは四つの太鼓でやる場合が少なからずある。でもそんなことはどうでも良い。私はなにかを比べるために生きていないのだ。そこにあるソウルがどんなに素敵か、それだけ。そして、ヨルバのものはおおらかに逞しく、キューバのものは、なにか切実な哀愁があるかに思えるのは、こちらの勝手な思い込みだろうか？

ところで、この日の私の体験。あまりにも素晴らしい三本のバタの音色に聴き入り、酔いしれているうちに、自然に目が閉じてきた。眠い。ヨルバ系の音を聞いていたり、また、以前通っていた、バリの宗教儀式＝これも観光用ではない、本物の儀式に参加して聞いていると、よく眠くなったものだ。それがただ「眠い」だけなのか、「トランスにつながるものか」は、本人である私もわからない。

この日、思わず目を閉じて聴き入っている私に、なにかの女神が舞い降りたらしい。中心でたたく、「母親太鼓手」の音からなんともいえないいい気分が流れてきた。そして、女の人の声……。歌う声だ、今思い出していても、なんだかぞくっと来る思い出。でもぜんぜん怖くなんかない、ひたすら気持ちいい。誰かが歌い始めたのだ、と思った。そして、それに調和して歌う男性の声、思わず少し目を開いた。母親太鼓の人が歌っている、と思ったからだ。しかし、違った！　彼は歌っていない。そして、身近に歌う女性もいないのだった。

呆然としている私と、一緒に行った友人、そして集中してバタを叩き続ける三人の太鼓手、それだけ。少しずつ、確実に聞こえていた「あの声」は遠ざかり……オチュンの演奏は終了した。一人残るという太鼓手たちの直接の友人だけを残して、私たちはお礼を言って外に出た。

「ねえ、さっき、太鼓が鳴っている時、歌が聞こえてきたんだけど、聞こえた？」

この時、同行していた日本人だけどバタを習っている彼に尋ねた。彼は「ああ」それね、となにかを思い出すような顔をした。

「いや。今日は聞こえなかった。でも僕も昔はよくそういうことあったよ。うんと若いころはよく。でも最近はなくなっちゃったな」

少し寂しそうに言った。

「そうなの?! やはり、ある?　でも最近はどうしてないのかなぁ」

「うん、どうしてかな?」

のんびりと、炎天下の旧市街からインファンタ通りに向かって歩きながら話した。

私はこの友人が、もし私がこういう、ちょっと変わったことを話しても理解してくれる人だろう、という気がしていたので、すんなりこういう展開が開けてくれたことに、ほっとしつつ感謝もした。そして、「やはりあるんだ」と心強く思った。

この地面には、おびただしい数の歴史と、悲しみと、時には血も流れていた。そして、大西洋を渡ったアフリカの人々が必死で護り伝えてきた、長い歴史の上にあるとても大切で命そのものの音と、リズムが流れていた。

それはキューバだけではなく、ブラジルにも、また「侵略されたルーツ」のアフリカでも必死で護られたものだった。


キューバ・シンクロニシティのこと……

直接、セントロでもキューバのCalleでもないが、ここでキューバで起こる、シンクロニシティの凄さに触れておこう。

恐ろしいほどに頻繁に起きる。そして、皆はわりとそれが当たり前と思っていて「凄い」などという反応はあまり来ない。「そういうもんだよね」的な、「当たり前でしょ、そういうことあるの」と思っている。それがまた凄い。

たとえば。私の体験だと。前の晩に、なにごとか考える。キューバにいたって、考え事はいろいろある。まったく一人で、自分の頭の中だけで考えていることだから、絶対に人には悟られない。なのに、翌日カサの部屋で目覚めて階下に降りていくと、そこの女主人が、昨晩私が考えていたことと、まったく同じ言葉を口にする。唖然とするけど、それを説明しても別になにもたいしたことにはならない。ただ、私が驚いているだけだ。

もっと何気ない事。例えば、「今はまだトマトのシーズンじゃないけど、食べたいなぁ」と思うと、その日の昼には「珍しくトマトがあったから買ってきたわ」って。すごい、有難い。

また、「あの人のライブが観たいなぁ」と思っていると、その日メールで案内が来る、などというのはかなり頻繁。ライブそのものは頻繁ではなくても。

なので、面と向かって話していても、こちらの考えが手に取るようにわかって、反応してくれることも稀ではない。「どうしてそこまでわかっちゃうの?」というのは、カンの良さ、というよりもテレパシーに近く思えることも多い。言葉にしないで語ったことの裏側を知っていて、それに反応してくるような。だから、あの人たちの音楽はまた素晴らしいのだな、と思ったりもする。音楽をすることってそれの連続だったりするでしょう?

音楽で思い出したエピソードを一つ。

BVSCの最長老のコンパイ・セグンドをインタビューした時。こんな話をしてくれた。

「ある晩、一人で部屋で眠っていると、窓の外から四重奏の音が聞こえてきた。あまりにも素晴らしいので、必死になってそれを忘れないように覚え、翌朝、しっかり楽譜に書くことができた。

それは、僕の物凄くお気に入りの一曲になったよ。楽団？　もちろん、そんなものはいなかった。でも、舞い降りてきてくれたことは確かだね、はっはっは」

「作り話しだろ」という人もいる。ただの妄想だと思う人もいるかもしれない。しかし、私は、これらのインスピレーションを信じている。信じているから、やってきてくれる。それがアートって言うものじゃないかしら？

Ⅱ　コロナ禍のキューバ――２０２０年2月～8月のハバナ体験

ハバナの空を飛ぶ鳥。ホテル・ハバナ・リブレの窓から

1　それでも出かけることにした

コロナ禍の中、キューバに出かけてあちらでロックダウンを体験した、というと、皆その体験談を聞いてみたい、読みたい、と言ってくれる。

もちろん、どんなものだったか、想像もつかないことを知ってみたい、と思ってくれるからだろう。そのような事実を伝えるのもそれなりに興味深いと思う。しかし、同時に私の興味はどちらかと言えば、そこで出会った人々にある。それは「事実」ではなくて、「感じる」「知る」「深みに入る」体験だ。その方が私には面白い。しかし、そんな物語がちゃんと書けるだろうか？

やってみよう、いわば、世界の人々が……つまりコロナ禍のさなかにキューバまでやってきていて、しかもすぐに帰らず、「居残った」人々だ。風変わりで当たり前だろう。いやいや、私も含めないとなりませんが、自分ではあまりそうは思っておらず……笑えることだが。

それでも一応、順を追って「事の成り行き」も語っておこう。そうしなければすみずみまでの話は伝わらない。

２０１５年から、２０１８年までの三年半、キューバと米国間の国交正常化の大きな変革期を目撃するためにハバナに住んでいた私は、その時期のキューバを一冊の写真集にまとめるために、かなり長い一時帰国をした。出来上がった写真集をもって、キューバに帰りたい、その中に登場している友人たちに見せて、配って歩きたい。そんな思いから、再びのキューバ行きを計画していた。

２０１９年、時はまさにハバナ市政五百年の年。この時に帰れたら楽しいだろうな。そんなうきうき感も伴う計画だった。また、五百年記念の一環として、私の大好きだったイタリアの歌手がハバナでガラ・コンサートを行うという。この年の大晦日近くに。では、それにあわせ行きたい。もちろん、キューバのあまたいる魅力的な音楽家さんたちにも会って話を聞いて……。

しかし、この楽しい計画は、残念ながら頓挫した。というのも12月に入ってから、イタリアからキューバに来るはずだったそのオペラ歌手さんの公演が突如キャンセルされたからだ。

「何故？」

詳細はわからないまま。では、他の目的で出かけてよかったのだが、わざわざチケット代金の高い12月に出かけなくても……というよりは、この時に私はマイレージがたまっていたため、それを使う予定でいたのだが、12月にはマイレージ使いの席はほぼ空いていなかった。

では、翌年にしよう、と。今考えれば、あの歌手の方のキャンセルには、翌年に繋がる理由がすでにあったのではないか、とも思えてくる。真相はわからないけれど。

そして、年越しを日本でしようとしていた矢先、暮れもうんと押し詰まった29日朝、目覚めた時に生まれて初の体験、片足が痺れる、いや正確には、かなり広範囲に感覚がない、という事件が私を襲った。正直、怖かった。原因もわからず、救急病院でも診察はできても検査はできない、とのこと。年明けて即、やっと見てもらえた病院でもまったく原因らしいものは見つからず、したがって直す方法もなく。全身の骨のレントゲンも、頭のＭＲＡも異常なし。幸いというべきだが、これでは治療法がわからない。

どうしたものか、という1～2週間。自らの努力で、アロマ・マッサージやら、足湯やら、またアフリカから一時帰国していた友人からいただいたトゥルクナ・オイルも。特殊なアロマの効果もあったのか、少しずつ良くなっていき、自分で直感的に選んだ方法、太陽の直射に痺れたところをあてると驚くほど効果があった。血行のためによく歩きもしたし、幸い温泉地に住んでいるので毎日入りに行った。贅沢だが、そんなことは言っていられない。

しかし、1月に延期していた日程で出かけるのはいくら何でも大胆すぎた。なにしろ、足の感覚はかなり戻ってきたが、局所的にまったく感覚はなく、しびれはとれていないのだから。では、さらに延期して……マイレージでとれる席の日程は恐ろしく範囲が狭かったので、2月の半ばの1日か、3月の頭の1日だけだった。

そうこうしているうちに、年末に始まっていた中国の武漢の感染はピークを迎え、春節後に日本でも感染者が出始めて。こんな状態になってからでも出かけるのか？　迷いに迷う日々に突入してしまった。

「どうする？」迷って当たり前。先がまったく見えない段階だった。こうして原稿を書いている今でさえ、また違った意味で「先行きが見えない」のだから。

決定打になったのは、行き先がキューバだったことだ。２０２０年、武漢が悲惨な状態だった1月、キューバの医療団が武漢入りした。「免疫を高めて、コロナ感染者が重症化しないようにできる薬」、アルファ2bを携えて。

とにかく、キューバは医療先進国である。中国を助けに行くような国。今回の中国だけではなく、それまでにも多くの国に必要とされる医療団を送り込んでいる。（実はコロナ禍に入ってからその活躍ぶりはますます強まった。詳しくは医療の章で後述）。

だったら、もしかかってもキューバならかなり大丈夫なのではないか？　この頃はまだ、キューバでは感染者はゼロだったし、治療の術も確かそうだった。ヨーロッパでの感染大爆発も起きていなかった。それは想像さえつかない段階だった。なら行くか！この機会を逃したら、しばらくどこにも行けなくなってしまうかもしれないから（これは正解だった）。

また、この頃、キューバから日本に帰国していた私は、定期的に歌う、というチャンスを持っていなかった。キューバだったら、毎日とはいかなくても、望めばかなりな頻度で歌うことができるし、練習する機会も多い。またキューバで歌いたい、その気持ちが強かった。

しかし一方では直感的に、感染は拡大するかもしれない、と思っていた。なので3月の出発では遅すぎる、2月に出ようと決めた。何故なら、日本であろうと、キューバであろうと空港が閉まってしまったら行けなくなるからだ。一度、暮れにキャンセルしていたジャーナリスト・ビザを申請し直していた私は、「2月に出発することにしましたので、とるのに一か月以上かかるジャーナリスト・ビザを待つ時間が無くなりました」と、再度、それをキャンセルした。「何故？」と訊かれた。「キューバに入れなくなると困るから」と答えた。つまり。ある程度の覚悟はしていたわけだ。住民票のコピーから、運転免許証のスキャンしたものまで持っていた。なにかを証明して書類をつくる時には必要だからだ。つまり、帰れないかもしれない準備。そこまで具体的ではなくても、なにが起きるかわからない、とは思っていた。

さて、成田へ向かう日。さすがに緊張していた。伊豆の家から新幹線と特急で成田まで行った。乗車時間をなるべく短くしたかったからだ。いつもなら東京駅からのリムジンを使うのだが、それは避けた。バスは密閉度が高く思えた。冬なので、窓も開けられない。日本での最初の感染者が、外国人を乗せたバスの運転手さんだったこともある。

マメにうがいするためのうがい薬と、手指の消毒薬、使い捨ての手袋。ペットボトルにいれた水とお茶。飲んで喉に着いたかもしれないウィルスや菌を流すためだ。かなり気合が入っていた。なにしろ、感染はしない、させない、それがもっとも肝心だったのだから。当然だ。その当時は、こちら側、私たちアジアの国が「危険地帯」だった。新幹線の中は、恐ろしいほどに咳こむ人が多かった。正直言って怖かった。いつもなら「咳をしている人がいても、いきなり席を替わるなんて失礼だよね」と思うのだが、迷わず動いた。なにしろ、自他ともに護らねばならない。じゃあ、海外になんか行かなきゃいいんじゃない、と言われそうだが、それはそれ。自分が少しでも自らの計画に沿って生きることを実行したかった。写真集をもって、キューバの友人に再会すること。あちらで歌うこと、どちらもとても大切だったから。

成田にはなんとか着いた、という感覚はあった。あとは乗ってキューバに着陸するだけ。

しかし、やはりちょっとした事件はあった。メキシコシティ経由の便で、着陸時、発熱者発生。「えええっ」だった。到着してもなかなか扉が開かない、と思ったら、である。そんなに近い席ではなかったが、目でしっかり見れる距離だった。初めて防護服の人を見た。当時はまだ、目にしないものだった。発熱者は中国の人だったこともあり、この機に乗っていた中国の人全員と、発熱者の両隣に座っていた人が先に降ろされた。なかなかにインパクトのある事件だったけれど、後に聞くところでは、「感染」ではなかったらしい。あくまで「聞くところ」だが。

いつもメキシコシティでの乗り換えは、長い時間が空く。この時もそうだった。しかも、凄い数のアジア人。なぜ？こんな時に旅するの？　自分を棚に上げて思った。なかには、ツアーの人たちさえいて、驚いた。この時期にツアーに出かける⁉

こうして大勢のアジア人たちは、キューバのハバナに到着するわけだが、それが逆に幸いしたのかもしれない。

今までに何度も到着したハバナのホセ・マルティ空港。しかし、いつもとちょっと勝手は違っていた、当然のこと。キューバ入国には「疾病傷害保険に入っていること」が義務づけられているが、それまでは、到着の空港で見せるように言われたことはなかった。だが、この時は違った。逆に通常から、日本を出る時のエアロ・メヒコは厳しくて保険がないと搭乗できない。空港で保険に入ることが必要になる。

万一保険なしでキューバに到着してしまった人は、キューバの空港で保険に入ることが義務付けられた。

すべての書類を手に持ち、機内でほぼ一番前の席に座っていた私は、イミグレーションにも一番乗り。早く空港を出たかった。しかし、事の次第は違っていた。

私の書類をさらさらと見て通そうとした係官を、横のブースにいた先輩格の係官が「おいおい」と呼び止めた。「中国と、韓国と、そして日本人もなんだよ!」と言った。

「え、なにかあるんですかぁ」ドキドキ。駐日の大使館では、「咳や熱のある人は、空港から隔離に入ります。それがなければ入国できます」と聞いていた。(あくまでこの当時。その後は変わる)。結局、人々の待つ列に戻されて、待つことしばし。「どうなるのかなぁ」と緊張。そこにイミグレの背後の扉から、入ってきた係官。

「わあ、こんなにいたら、見れないよ」

もしかしたら、アジア人が多かったことが、幸いしたのか? この頃は、まだ空港のPCR検査の義務付けなどもなかった。結局「通してしまう」ことにしたらしく、私は、先ほど私をストップした係官の所に呼ばれて、パスポートの再チェック。まぁ、だいたい呆れられるのだ。ぱらぱらとページをめくりながら「キューバに来ている回数」の多さに。「へ?」という顔をしながら、「ファミリーがいるの?」と。「はい」と答えてしまった。あちらも、そう答えて欲しそうだったし。無理やりこじつければ、いつも泊まっているカサ(民泊)は、ファミリーみたいなもの。

こうして、ほぉ〜っと、イミグレは通過し、手荷物検査は「早く通してしまいたい一心」という風情で、いつもはある程度厳密にされるパソコンのチェックもなにもなし。その次は日本で聞いていた、保健省のチェック。これは紙面だけ。「具合は悪くないか、熱はないか」また、いつもは空港ではない質問。パスポートナンバーと、泊まるホテルの名前と住所を紙に書き、これで無事放免。荷物さえ出てくれれば、空港の外に出られる。

私はいつも、空港から市内までのタクシー代金の現地マネーだけは残して帰国し、またキューバに来た時に到着空港で両替の列に並んだりしなくて良いようにしている。この時もそう。空港の外は、まったくいつもと変わらない、暗い夜の戸外と、草花と木々の発する匂い、そして、陽気なキューバ人のタクシーさんたち。「タクシー？」と訊いてくる。黄色と黒のネクタイを締めている人なら安心だ。キューバ公けのタクシーさんたちだから。ここほど安心な空港も少ないだろう。「はぁい、ベダードまでお願い」一応それでも価格を確認して、うきうき乗車。これでハバナに、市内に入れるのだ！　ここにはまだ、コロナはない！そんな気分。ほぉ〜っと解放感を味わった。あちらも、ほぼ危機感はなさそうだ。「日本人だから、危ないいんじゃない？」という雰囲気は微塵もなかった。

この日の宿は、ベダードのホテル・ベダード。いつもいつも、ネットをやりに来ていた馴染みのホテルだったが、実は泊まるのは初めてだ。ベダードのど真ん中にありながら、どちらかといえば、バックパッカーも来るようなホテル。ここに来たのにはそのいきさつもあり、またその後の「記念的」な思い出もある。

この時の私は「〇〇便に乗ります！」という航空会社への返事を2日前にしていた。それほど迷ったわけだ。しかし、それ以前からメールし続けていたカサから返信がこない。どうしたものか。もう通常のホテルをとらないと……。しかし、こんなにせっぱつまったことは初めてだったので知らなかったが、ハバナのホテルを取るには最低でも3日かかる。現地とメールのやり取りをして、来た返信をプリントアウトしないとならなかった。それはできない、ということで、この時には、ずいぶん昔からのお知り合いであるキューバに強い旅行会社でもある、ボデギータの清野さんのお世話になった。彼とて「ホテルをとる」仕事は、まったく同じことをしないとならないので「間に合わない」のだが、裏の手をもっていて教えてくれた。「ウチのホームページから行ける所に、直接ホテルをとれるキューバのサイトがあるから、そこからとって。それならメールの返信で成立する」。「そうなの?!」助かった。それだと、ボデギータさんはまったく儲けにならないのに、親切だなぁ。本当に感謝した。しかも、自分のところのサイトにそれを持っているなんて、凄い。

なにしろ、エアロ・メヒコの便は、ほとんどがハバナに深夜に着く便だ。そんな時間に着いて、ホテルがないなんて最悪、いくら安全なハバナとは言え、宿無し状態ではキツすぎる。

その時、とれた唯一のホテルがベダードだった。「おなじみの所だなぁ」、ちょっと笑った。

そんな具合で、到着したその日も深夜だったにもかかわらず、とても楽しい再会が待っていてくれた。ドアマンさんたちも、顔見知り。「やあ、戻ってきたのかい?」嬉しそうに扉を開けてくれる、こちらも嬉しい。そして、フロントに向かえば、マリオがにこにこ笑って迎えてくれた。懐かしい。彼の優しさと温かさにはいつも癒される。思い出しただけでも、温かい気持ちになるほどだ。彼は、フロントの、カウンターではない、本当にフロントのロビーマン。たぶん、この時はハグもベソ（頬への挨拶のキス。唇はふれないやり方が多い）もしたのではなかったか。その後には、禁止になってしまう……。もちろんコロナ禍のせいだ……

「名簿でね、あなたの名前が入っていたから、待っていたよ。予約は2日前だったろう?ぎりぎりだったね」

「そうなの、迷っていたのよ」とにこにこ、笑いあう。彼が私にこんなに親しくしてくれるのには訳がある。もちろん、多くのキューバ人は親切だし、いつも親しみをもって接してくれるけど。彼の娘さんは、日本語を勉強しているのだった。なので、いよいよ私に親しみを抱いてくれる。娘さんはここから離れたところにいるので、会うことはなかったが、電話で話したことはある。

「さあ、じゃ、部屋に案内しようね。今日は僕が偶然この時間の当番だったんだよ。すぐに君に会えるなと思ったよ」

重いスーツケースをカートに乗せてエレベーターへ。

私には、一つ課題があった。ここのホテルの予約は一泊だけ。その後、カサに移動したいけど、例の返信のないカサに泊まれるかどうか、わからない。なので、翌日すぐに確実に移動できる場所が欲しかった。彼は、微笑みながら「理想的なところがあるよ。このホテルから歩いて一分とかからず、しかもとてもきれいでいい所だよ。明日の朝一番で電話を入れてあげようね」

「やれやれ、助かった」。これでなにもかも、クリア。ゆっくり眠れる。

そのカサは、マリオの友人だったし、当初はなかなかに良かったけど、その後キューバもすぐにコロナ感染が始まり、外国人の外出はできなくなり……と、さまざまなことが待ち受けている場所になってしまった。

ホテル・ベダードに着いて、顔見知りの懐かしい面々との再会、笑顔、嬉しさでいっぱいになりながらも、日本の我が家を出てから24時間、いやたぶん、それ以上たっていたから、ヘロヘロに疲れていた。

部屋に入り、明日の行く先もなんとかなりそうだし、必要不可欠の荷物だけ解いて、パタン、と。その前に持っていた厚手のハーフコートをクローゼットのハンガーにかけた。なにしろ、日本を出たときは真冬だったのだから。

「そんなことしたら、忘れるよ、ちゃんと明日、持って出てね」自分に突っ込みを入れながらやったにも関わらず、本当に忘れてしまった。間抜けだ。しかも、コートがないことに気が付いたのは移動してから二日も経ってからだった。だって、こちらは昼間はぎんぎんの太陽が照る熱帯なのだから。コートはいらない。

「あっ」

気づいた私は、急いでホテルに駆け込んだ。電話するより早いからだ。フロントにいた女性は、にこりともせず仏頂面で「何階に泊まったの?」と訊く。階数を告げると名簿で確認し、「ちょっと待って」と、その階に電話しているもよう。すぐに電話を切ると、

「はい、じゃ、その階へ今行って、自分で話してちょうだい」と。

どういう答えだったのでしょうね? ま、わからないままに言われる通り、たしか五階くらい

だったかに上がっていくとお掃除のレディがいた。私の顔を見るとすぐに申し訳なさそうにしながら、「あ、あれね。あれは私が持っているわ、明日持ってくるからごめんなさい」って。

ええええっと、事の次第を把握した私は、「あ、わかった、明日ね？　何時くらいに？　あなた、明日もここに来ているの？」「来てます。ほんと、すみません、明日、必ず持ってくるから」

笑うしかないでしょ？　だって、忘れたのは私のドジ。でも持って行ったのは、この人の出来心。その出来心を作っちゃったのは私でもあるわけだし……。

で、その翌日、同じ階で同じ女性にうまく出会えた私は、小さなビニール袋にぎちぎちに押し込んである私のハーフコートと再会したのだった。

「ごめんなさい」再度言う彼女に「いいわよ、大丈夫」と、私。

「じやまたね」

「じゃね」とベソをしてくれた彼女「お気をつけて」って。最後のセリフはかなり受けた。

「はいはい、ほんと、気をつけねば、ね」

スペイン語で気をつけては、「Cuidate」となり、それはなにもいつも気をつけて、というわけではなくて、英語で言う「Take Care」に似ている、いやそのものか。いわゆる別れ際の挨拶みたいなものだ。だから、彼女もそこまでのつもりで言ったわけではないかもしれないけど、このタイミングで言われると、なんだか笑える。

私は、彼女に対しては怒る気持ちにはまったくなれず、コートが戻ってきてよかった、くらいの気分だったが、一応ホテルには一言いっておきたかった。

「コート、戻ってきました。でも私が言う前に、言ってほしかったわ」と、その返答は、物凄く大きな声の「Sorry!」の一言、しょうがないわね、まったく私のせいではないし！って、まあ、そんな感じ。

私は、この一件を笑える、でも一応報告しておきたいものとして、マリオにも話した。もちろん「ひどいわよ、家に持ち帰っていたなんて」などという気配は微塵もなく、でも「持って帰ってたんだよね〜」というのは伝えると、さすがのマリオ、キューバ人。

「はっはっは、コート、返ってきてよかったね」

この反応にも、受けたわ、私。

さて、マリオがらみの一件はまだあと一つある。

私はこの時、キューバには三か月滞在予定だった。最初にもっているツーリストカードは、だれでも一か月滞在できる。さらにそれから最長一か月まで延長できる。それは、キューバのイミグレーションで、いろいろな書類を揃えて申請する。でもその二か月間で終わり〔註　2020年11月から、ツーリストカードは90日間有効になった。この先、不要になるという話もある〕。それ以上キューバにいたかったら、一度外へ、つまり海外へ出ないとならない。ここのもっとも近い海外は、メキシコのカンクンであるから、それまでにも何度もその手を使っていた。この時もその予定だった。日本ですでに押さえてあったチケットは某サイトでとったものだったが、「時間の変更が出た」という知らせがメールで来た。あちらの都合で変わったとしても、チケット変更はしなければならない。私は、面倒だなあ、とは思いつつその航空会社のオフィスに向かった。なんと、凄い列。いつもどこも混み合うことの多いキューバだけど、ここまでのものは珍しい。このまま待っていても、私の順番が来る前にオフィスは終わるだろう、と思えた。

その日は退散。そして、帰り際すでに別の宿であるカサへの帰り道途上にある、ホテル・ベダードへ。マリオがいた。

「マリオ、今航空会社へチケットの時間変更だけのために行ったんだけどすごく混んでて、明日もあんなふうだったら困るなぁ」

「おお、それなら、ちょっと質問するだけなんだよ、て言って先に入ればいいんじゃない」

「ええ、そんなことはちょっと」

と、その時は答えた私だったが。翌日の午前にトライして昼休みに入ってしまい。午後に行ったらまた凄い人の列で……。これはどうにもならない、と感じた時に

「君、待ってるの？　入ってしまった方がいいよ、皆、あの人たちはわからないままに待っているんだから」

「えええっ？」ならば、「時間変更するだけだし」と、マリオ方式を使ってしまった。

中に入って「時間変更だけなんですけど」と言うと、「いいわよ、ちょっと待ってて」と。しかもカウンターの席にいた人に「好いですか？」と訊くと、その人も感じよく、「どうぞ」と言ってくれる。「良かった……」で、いよいよ私がチケットの変更をすると「帰りの便のチケットは持っているの？」と。「いいえまだです」「じゃ今取ってあげるわ」と。どんなものかなぁ、とは

思ったが、ここでやらないでいるとこの先、どうなるかわからない。

「ではお願いします」ちょっと調子いいなあ、とは思ったけど、あちらから言ってくれることだし。

しかし、これは意外に時間がかかり。ひやひやしつつ、それでもすべて終わって、私より前に席にいた人にお礼を言って、外への扉をあけたとたん。

わあ、そんなことが待っているとは！

そこで待っていた人、全員が扉の外で私を待ち、出てきた私を見つめ。そして一人の若い女性が、叫ぶように
「チョコラテ、チョコラテ」と言っている。なんのことかわからない。彼女が怒っていることはわかる。しかし、「チョコラテ」としか聞こえない、「なあに？　チョコラーテ？」と訊くと、全員がどっと笑う。どうも、全員が怒っているわけではないみたい。でも扉に詰め寄っていることは確か。そのうちの一人は、まるで私を助けるかのように、にこにこ笑って、私を見ている。でもあの女性は、再度、叫んで怒っている。まずい！

「えっと、ちょっと質問をするだけのつもりが長くなってしまって、では、さようなら」

こういう時には、一瞬でも早く、その場を立ち去ること。まだまだスペイン語は達者じゃないんだし、あの女性は怒っているみたいだし、長時間言い訳なんかしていたら、いくら治安のよいキューバでもなにが起きるかわからない。そそくさと、次の展開が来る前に、さぁ〜っと去ってしまった。

「わお、びっくりしたわ」

この件をまたマリオに報告した。「こうこうこうだったのよ」。またしても笑うマリオ。「良かったじゃないか、チケットが変更出来て。僕が言った通りだっただろ？」

まったく。ま、これがキューバというものです。

「でもその女の人が何を言っていたかわからなくて、なんだったのチョコラテ、て？」

「ははは、それは、Te colarte＝テコラルテ（だからチョコラーテに聞こえた）割り込んだって言ったんだよ」。私は辞書でその言葉を調べて、納得した。

そして、その後、マリオは私を見るたびに笑いながら「Te colarte」とからかうようになりましたとさ。キューバ！

だが、チケットに関して本当にシリアスなことが始まるのはこの後のことだった。それは後に、ホテルで出会った外国人たちの話で詳述する。

2　再びのハバナ生活

こうして、懐かしいハバナでのカサ生活が再び始まった。

その後の展開などは誰にも想像もつかなかったが、それでも当初はずいぶんと快適で順調だった。短期間のうちにどんどん友達や知り合いとの再会ができた。あっという間だった。

ホテル・ナシォナルのオープンカフェ。真っ青な大西洋が見渡せる

両替に向かったホテル・ナシォナル。ここの戸外のオープンカフェは私のお気に入りの場所だ。広々としていて、空も海も青く広がり、椰子の木立、レトロなホテルの建物、アンティークで優美な内装、昼間からラムやジンのカクテルを楽しむ人々。なにより、真っ青な海からの風が涼しくて、ここは天然自然のクーラーを持つ快適なカフェだった。

ホテルの建物に続く、大きなL字型の屋根付きのカフェ・スペースには、ふかふかの座り心地の良いソファがあり、夜はこの一角でライブの演奏があった。時々、ここでも歌わせてもらった。さらに海辺寄りに近づくと、きらきら輝く水を吹き上げる噴水を過ぎて、鉄製の椅子とテーブルが数多く並べられており、戸外用の小さなバーや、木立に隠れてレストランもある。

さらに海よりに進み、マレコン通りを見下ろす場所には、さんさんと日差しを浴びながら濃い青の海と空を眺めながら座れる椅子やベンチもある。私はこれらの真ん中、高い木立のある場所に陣取った。心地よく吹く風の匂いと、鳥の声に包まれて寛いでいると、やおらウェイターさんが、微笑みを浮かべて「なにか飲みますか?」と訊いてくる。ここのカフェでは「無理にオーダーしなくても良い」そんな暗黙の了解があるようだった。「ただ、ここで心地よい時間を過ごしたい方は、それでもどうぞ。飲み物が欲しければ私たちがお持ちしますよ」。そんなおおらかさも気に入っていて、足しげく通った。この日は、「到着記念のモヒートを」。ハバナに着いたら、まずモヒートを飲まなければ始まらない、私だった。

その時、早くもまた、お知り合いに会った。ここの昼間の部門のトリオさんたちである。彼らは、昼の時間帯に、カフェで飲み、語りあい、寛ぎを楽しむ人たちに、素敵な音楽を提供するのが仕事だった。彼らとは何度も顔を合わせ、曲をリクエストし、たまには一緒に歌わせていただいた。

「おお、マリコ!」飛ぶように近づいてきた、彼ら。「また戻ってきたのかい?　いつ?」「昨晩」「あっはっはぁ、では、君のために一曲演奏しようね」

嬉しい。「ようこそ、ハバナへ」という曲。そのままの歌詞だけど、なにより嬉しい。「ありがとう」、これはプレゼントであることはわかっていたので、チップは上げない。向こうもそれが喜びでやってくれているのだから。そしてすぐに、

「はい、じゃ次はマリコ、マラカスもって」。もう参加させられてしまった。お隣の人の所へ行き、無事一曲終了。「ありがとう」「ありがとう」。皆、にこにこ、ああいい気持ち。

樹上では、小鳥たちもさえずり、芝生ではクジャクも羽根を拡げる。平和を絵に描いたよう

だった。ずっとこのままならば。

さあ、カサでのことを少し話しておこう。

マリオの勧めに応じて移動したカサは、なかなかに居心地の良い所だった。他の多くの所と同様、大きな建物の一角、このカサの場合はその一階にあった。治安の良いハバナとはいえ、一応の用心はされており、金属製の扉が道路と建物とを隔てている。金属製とは言え、なんといえば良いのか、透かし模様が入っている。入ってすぐにこのカサの玄関に通じる扉、そこも同様に金属製の透かし模様の扉があり、その内側にあと一つ、つまり二重扉である。それぞれにすべて鍵があるため、エントランスに入るまでに三つの鍵がある。カサに泊まるようになると、まず、自室の鍵と同時にこれらの扉の鍵も渡され開け方を伝授される。開きやすい鍵もあれば、なかなかにテクニックを要するものもあり、そのたびにどんな鍵かな、と少しドキドキする。夜に帰ってきて、開きづらい鍵と格闘はしたくないからだ。

そうして中に入ると、どこのカサでもエントランスは出来るだけ綺麗に飾り立てられている。まるで、ここがこのカサの顔である、というように。いくつかのソファとテーブルがあり、壁には絵の額がかかっているところも多い。陶器でできた壺や犬の置物やら、スタンド型の花瓶に生けられた造花。テレビ、など。

内側に入ると、ここはけっこう大きなカサで、客人用の大きな部屋が三つもあった。その横を通り抜けるように長い廊下が一本、奥まで通っており、そこにはアンティーク風、本当にアンティークだったかもしれない、キューバにはそういうものが山とあるから、そんなスタンドランプ。これは大家さんの自慢の代物。「このランプは、常夜灯としていつも点けておくから」。そう説明しながら、遠めにこのランプを目を細めて見やる大家の満足気な様子からも、それはうかがい知れた。

途中でアクセントを付けるように角を立てた、廊下の作り。その一角には青空天井の小さな坪庭もあった。庭というほどに広くはないが、植物の緑が爽やかだった。ガラス戸で遮られたそこの扉もやはり「しっかり鍵をかけておくようにね」。

この通路を行ったどん詰まりには、ダイニング・キッチン。かなり広い。食事用の大テーブルと、それを囲む椅子、そしてロッキング・チェアが二点。客人で朝食をとりたい人たちは、ここで食すのだった。ロッキング・チェアは、主に大家の夫婦、時には訪ねてきた仲の良い友人が、このチェアの一方でゆらゆら椅子を揺らしながら話し込む姿もあった。ここにも大型テレビ。その奥にけっこう広い、カウンターがL字になったキッチン。お定まりのキッチン用品がたくさん並んでいる。キューバの家庭に必ずある電子レンジ。キューバではまだ、この電気機器への疑問は一般化していない。電気釜が二つ。トースター、ミキサー。これはキューバでは相当普及率が高い。果物大国だし、皆日常的にフレッシュ・フルーツ・ジュースを飲んでいる。これがまた美味しいのだ。モノが少ない国でも、最大限に自然のものを生かす努力がされているように思う。大型冷蔵庫、四個口のガス台、食器戸棚。そんなものがぎっしりと並んでいる。そうだ、浄水器もあった。これは長期滞在者には嬉しい。外で水を買わなくてよいのだから。

キッチンの横には、勝手口扉。ここも外は青空になっており、セメントのタタキのすぐ前には、隣家のキッチンにつながる扉。ここにもしっかり鍵がある。ここからは外階段があり、一方は半地下の駐車場へ。上は4階から屋上まで続いていた。

各個室もわりと広く、12帖くらいだったか。ベッド二台に、テーブルと椅子、クローゼット、鏡、小さな専用冷蔵庫とエアコン、そしてテレビもある、だが個室のテレビは旧式で小さい。ここまではなかなかに新しい大型のテレビは入れられないのが多くのカサの現状だった。

木製の白ペンキで塗られた両開きの窓扉と、ガラスの窓の外は、反対側の隣家との境を成す通路。その外は隣家の庭だったので快適だった。ここに何があるかによって、部屋の雰囲気も住み心地も大きく変わる。それぞれの個室にはトイレとバスルームも。水回りの綺麗さも、住み心地に大きく影響するが、それだけではなくて、熱いお湯が出るかどうかは、大切なポイントだ。以前は、それを要求するのは高望みに近かったが、今はずいぶん普及した。バスタブはないところも多いが、あってもあまり使いたくならない代物が多かったけど。

ここのカサの良いところは、その家の造り、だけでなく地の利の良さも大きかった。23通りも近く、つまりホテル・ハバナ・リブレも、ナショナルも近く、ライブハウスの「ソラ　イ　クエルボ＝狐とカラス」も近かった。インファンタ通りもサン・ラザロ通りも目と鼻の先、つまりBikyも中華屋さんも、セントロにも近かった。旧市街へ行きたかったら、乗り合いタクシーのマキナで一本。買い物するための市場、メルカドも点在していたし、野菜や果物を買える店も近くにいくつもある。大小の公園もあったし、海を見たかったら歩いてすぐにマレコン通り。なかなかこんな条件の揃うカサも少ない。ハバナ大学が近いから、留学生向けにたくさんのカサの点在する地域ではあるが。

しかし、一つ難点は、目の前の建物が工事中であったこと。玄関から入ったエントランスのテラスに面した扉が道路に面しており、その対面が工事中。つまり昼間、透かし模様の金属扉が閉ざされてはいるが、中の扉を開けっぱなしにして風を入れるため、ここには目には見えない埃がガンガン入っているに違いない。それを言っては贅沢？のようだ。しかし、そこで働く人たちの人数が決して少なくないのも気になった。後に、感染者が出て長引き始めた時に、ここではないが、ある工事現場でクラスターが発生していた。私の心配もまんざら根拠がないこともなかった、と思った。他所の現場でクラスターが発生したその頃にはここの工事も日数の間隔をあけて人数も少なくはなっていたが。

さて、当初はなかなかに居心地よかった、ここのカサ。最初の数日は、持ち主の大家が不在だった。従兄弟というけっこう年配の男性が迎え入れてくれた。それとここの家のお手伝いの人。だいたいのカサでは掃除や細々としたことを引き受ける女性が働いている。私はこの人にけっこう気に入られた。だいたいそういうことが多い。

ミリー。もう少し長い名前なのだが、発音が難しいからそう呼んで、と言われた。けっこうないい年配、痩せ型で目がキロっとした剽軽な風情。キューバには少なからずいるタイプだけど、さらにはなかなかに自己主張も強そうだった。その点も、キューバでは普通のこと。

私は日本にいる時は、家の中の片付けが苦手な方だが、旅先で探し物などしたくないので、いつもわりとキチンと片付けていた。なにより荷物は多くないし、必要なものがすぐに出てこないと不便をするのは自分だからだ。置く場所を決めておく。それが一番のやり方。

そんな私の部屋を見て、ミリーは叫んだ。「あなたは、すっごくキチンとしている、すばらしいわね。片付けてあげる必要もまったくなくて掃除しやすい！」。この時に「organizado」という単語を学んだ。だからかもしれないけれど、朝食は安上がりにするため自分で作ることにしていた私に、ミリーはパイナップル・ジュースをたんまりくれたりした。本当に美味しいのだ。ああ、キューバのジュース、懐かしい。聞いてみれば、ミリーの息子さんは、すぐそこのインファンタ通りに面した野菜果物屋で働いている、とのこと。「ほとんどただで手に入るのよ」と笑っていた。「遊びに行ってみてね」。しばらく後に買いに行くと、なるほど、ほぼ毎日のようにこのカサに立ち寄るミリーの息子さんがいた。

数日後、ここの大家さんたちがメキシコから帰国した。今考えれば、あの頃はまだ感染も少なく平和だったなぁ、と思う。その後なら「メキシコ！」となるはずだ。彼らの息子夫婦は、メキシコで仕事をしながらあちらに住んでいた。「心配しているのよ、キューバに帰っておいで、と言うんだけど動くつもりがないみたいで」。その理由も、キューバの医療は頼りになるから、万一感染が広がった場合、帰国している方がずっと安全だから、ということもあった。「そうね」。私が思い切って日本を出てこれたのも、キューバがそうだからである。その後、浮上してきた、いや、強まった医療に関する問題点は、コロナ禍の影響が大きい。それについては後に詳述する。

この夫婦も、いい感じだったが、しかしながらちょっとした難しさにすぐに気が付いた。大家の旦那と、ミリーの相性が良くなさそうだった。何しろ、見ていてもわかるくらいに、大家の旦那は口うるさそうだ。それに対して、彼らの帰国前のミリーは「もうすぐ帰ってくるのよ、うんざり！　このね、籐椅子の裏側まで拭けってうるさいのよ、細かい、細かい」。がんがんけなしていた。確かに、籐椅子の裏側まで、毎日はねぇ？

しかし、この時はまだ単にお互いにらみ合っているのだ、とばかり思っていた。ところが、しばらく経ったある日、私が帰宅すると、家の前にタクシーが止まっていた。乗ろうとしてるのはなんとミリー。「は？」と思いはした。でも、まさか家出だとはこの時には思いもせず。小さなビニール袋にぎゅうぎゅう詰めにした衣類、ほら、あの私のコートを「保持していた」ホテルの女の子みたいに、それがまた山ほどある。私は、「ミリー、どうしたの？」と言いつつ、「きっとミリーはある種、内職的なチャンス、古着を売りさばくところでも見つけたんだ」と思った。玄関とタクシーの間を忙しげに行ったり来たりするミリー。タクシーの運転手は、そのさまをうんざりしたような顔で見ている。私が玄関内に入ると、ミリーは最後の一山を運ぶところで、いくつかの袋を私に「手伝え」というように渡し、私もそれをもって再び、外へ。ミリーはそれらを後部座席に放り込むと、大急ぎで私にベソをし、なんの説明もせず、一瞬の私の目をまっすぐ見つめて「じゃね」と言って去っていった。

「なに？」この時は、まあ、それが私の印象。そう、何日か前に、ミリーは大家と激しく言い合いをしていた。そして、この日、またやったらしい。そして、とうとう職を放り出して、家出とあいなったわけだった。それが私がミリーを見た最後になった。とは言え、彼女はまだまだそれほど普及していなかったフェイス・ブックをやっていて、私にもリクエストをくれたのでつながってはいる。そして、その後彼女のアカウントを見て、かなり驚いたことがあった。いかに彼女が、「特殊な」人であることかが、それによってもわかったのだったから。

彼女は、国籍が「ロシア」になっていた。そんなわけないでしょ?とは思ったが、一応八百屋で働く息子はそのまま店で働いていたので確認したら「はぁ~?」と言った。そして苦笑い。ウチの母親ならそれくらいやりかねないよね、といった程度の驚きだった。彼はフェイス・ブックはやっていなかったので、自分の母親がそんなことを書いているのは知らなかったらしい。

別に彼女のことを悪く言いたいわけではない、ちょっと変わった面白い人なのだった。キューバは、それぞれの誕生日を盛大に祝う習慣がある。そのため、年中ケーキ屋さんは大繁盛だ。どこからそういうお金があるかな、というほどに祝う。皆か集まり、ごちそうを食べ、ケーキに蠟燭を灯して吹き消し、プレゼントを渡して大はしゃぎ。ミリーは、ある日自分が祝ってあげたお孫さんの誕生日パーティの写真を見せてくれた。色とりどりの風船に飾られて、めかしたお孫さんと写るミリーも楽しそう。「これはね、全部私が出資したのよ」と自慢げ。きっとそうなのだろう、と思った。こうしてカサでの仕事もしているし、現金収入はそれなりにあっただろうから。

また、ミリーがまだカサにいる頃に、ちょうど誕生日を迎えた私のために、バースデーケーキも「作って」くれた。白いクリームとフルーツで飾られたフルサイズのケーキでとっても嬉しかった。彼女は、私が歌をやっていることにも喜んでいて……キューバの人はほとんどそうなのだけど……私の練習を楽しみに聴いてくれていたし、台所に彼女しかいない時には、私もそこのカウンターに腰かけてスペイン語のお喋りの練習をしたり、歌をうったりしていたが、彼女は自身で歌うことも好きらしく、私と一緒にそのグリっとした目を大きく見開いて、いい声で歌った。私がいい調子で歌うと、また目を見開いて「いいね！」というように、その褐色の顔をほころばせて喜んでくれるのだった。そんな彼女がいなくなっちゃった私は寂しかった。しかし、同時にあの人はかわった人だったなぁ、とも思う。彼女は私のことを好いてくれていたし、今でも時々、フェイス・ブック・メッセンジャーで、真っ赤な薔薇の花に、キラキラ光るスパンコールや露のついた絵を送ってくれる。有難いとしか思えない。

さて、ミリーの出て行ったカサで大変になったのは奥さん。ミリーのやっていた掃除だとか、この家のこまごまとした家事を全部、彼女がやることになった。彼らはカサには住んでいない大家だったから自分たちの家と、ここの両方の家事をやることになったわけだ。そして、旦那が小煩いことは、相手がミリーであっても奥さんであっても変わりはないようで、ああだこうだ、言われている姿を見るのはなんだか気の毒だった。

私はミリーだけではなく、彼らにもなかなかに好かれていた。清潔だし、キチンとしているし、お金払いの心配もないからだ。ここに住み始めた当初は、他の2部屋にも客がいたが、「マリコ、良ければずっとここに住んでくれないか。彼らが出て行ったら、いっさい他の客は受け入れない。

君だけだ。君がここを占有して住める。だからずっといて欲しい」といわれた。

この頃はまだ、キューバでの感染者も出ていなかったし、さほどの危機感はなかったが、彼らにとっては、カサの泊り客が来なくなることは一つの危機だったに違いない。私、一人だけでも確保しておきたかったのだ。

その時、私は以前から懇意にしていて、なかなか日本に連絡の来なかった別のカサに移動するつもりでいた。

「どうしてそこがいいんだい?」

「え、私は今、朝食だけここで作っていますが、本当は三食つくりたいの。キッチンが使えないから不便なんですよ」

「じゃ、キッチンも使ってくれて構わない。どうか、ここにいてくれないか。価格も相談に応じる」

おお、そこまで言われたら、それは考えるわ。

私は、もう一つのカサの女主人、旦那が出て行ったので一人身になっていた……と再会を果たしていた。彼女は返信しなかったことのエクスキューズで「スマホがこわれちゃって」と言っていたが、それは本当かどうかはちょっとわからなかった。何しろ、私が彼女のカサに住めるかどうかを再会して打診した時に、「ちょっと待って、今いる人がいつまでに出るかわからないので」と言われた。

そして、後日きた返信では、私がちょうどキューバに入って、40日が過ぎた日から泊まれる、というものだった。この頃はまだ、海外から来た人や、帰国した人の「隔離期間」はキューバでも設けられていなかったが、中国から帰った人には規定があった。2週間は外出しないように、という。その時、世界で使われている「隔離期間」と同様の長さである。それを知ったのは、ホテル・ハバナ・リブレで歌わせてもらった時。

私が入っていくと、「おお、マリコ、帰ってきたかい、歌う?」とすぐに言ってくれて、「いいんだな」という感じで幸せに歌ったのだが。ここのボーカルの女性がこの日にいなかった。「彼女はね、かわいそうに中国へ行っていたんだよ。だから帰国してもすぐにここでは歌えないのさ、2週間は自宅にいることになっている」

「あら」と思った。彼らはまったく気にしていないし、お店の人も何事もなさそうにしているけれど、私は、空港でも「ちょっと待って」がかかる、この当時はいわゆる感染国から来ているわけだ。

「ちょっとだけ、黙って自粛する?」そんな気分にもなった。そのせいで会いそこなってしまった人がいたのは残念だったけれど。そんな微妙な状態でいたころだ。この以前から懇意にしていたカサのオーナーである女性は、「わからなかったのよ」と言っていた言葉からしても、「私が安全かどうか、果たして泊めて大丈夫かどうか」の判断に苦しんでいたのではないか、と思う。

その40日とはなにか。まったくの偶然なのかもしれないが、昔、船乗りたちが世界を移動していた時の「隔離期間」が40日だったのだ。そのことを知ったのはスペイン語の検疫、という単語を知った時。Cuarentena、クアレンテーナが40を意味するcuarentaを語源としていたのだった。

本当のことはわからないのだけれど、あまりの一致に「そうなのかなあ」と思った。彼女とはもともと仲良かったし、以前このカサにいる時にCDをつくった私は、それを物凄く喜んでもらって、家族ばかりでなく、近所やお友達まで含めて喜んでくれ、一日中そのCDを大きな音でかけていてくれた。そんなふうに好意的で良い思い出のある所だったから、またここに戻りたいと思ったのだけれど、私の方にも新たな懸念が出てきた。それはここが美容院であること。日本を出る時には思いもしなかったことだが、「あまりにも人の出入りが激しいと感染の危険も高まる」ということ。今では当たり前に思えることも、その頃はまだまだすべてが初めての体験だった。

「移動するのもどうかな」と思っていた矢先に、ここのカサの熱心な引き留めを受けた。カサ代金も下げてくれ、食事も好きに作れて、しかも、大きなカサを独り占めの贅沢。週3回、通ってくる大家さん以外は誰も来ない。また、以前いたところよりも、ここのほうがはるかに地の利も便利だった。大きなカサなら、歌の練習も、なんの気兼ねなくできる。引き続き、このカサに滞在することにした。

以前いたカサの女主人にはエクスキューズを入れ、それでも私の誕生日には一緒に出掛けた。いつも歌わせてもらっている、ハバナ・リブレで歌い。ホテル・ナシォナルを訪ね。ここではこの日は別のバンドが入っていたため、歌わず。でも少しだけ踊って、次は、ホテル・リビエラ。ホテル・コイーバのすぐ近くの海辺に建つ大型ホテルだ。ここではCDでもお世話になった、名ギタリスト、エミリオ・マルティニのバンドを聴きに。モヒートで乾杯。

幸せな誕生日、順調なカサ生活、だった。キューバで感染が始まるまでは。いや、始まっても、当初はまだ。

3　キューバで最初の感染者発生

3月上旬、キューバでの最初の感染者発生は、イタリアからの旅行者だった。今、振り返れば切ない話しだった。確かなことではないが、イタリアに留まることを懸念したのではないか、と誰しもが思った。その頃すでにイタリアでは感染が爆発していた。思いもよらぬことだった。ヨーロッパでそのようなことが起きるなんて。また、命の選択が始まっていた。60歳か65歳以上が見放される、つまりより若年層の治療を優先するために、それ以上の年齢の人が治療を受けられない状態が発生していた。その話を最初に訊いたときには、憎悪が走った。しかし、その後世界各地で似たようなことが始まったところも少なからずあったのだが。「命」この一言が、その後、それほどまでに深刻な事態になるとは予想もしていなかった。

彼ら、イタリア人の旅行者は首都ハバナの空港に着くなり、その足で南部の観光地トリニダーへ直行していた。それも少し不自然だけれど、考えればキリがない。3人の旅行者のうちの一人が喘息の既往症を持っていたという。夜中に咳こんでいることを察知したガイドさんが気づき、検査の結果、陽性が判明、入院、そして、二人が亡くなる、という事態が起きた。後の一人は帰国した。

その時のキューバの対応は、見事というしかなかった。彼らが接触した人たち、確か百人を超えていた全員を隔離、検査した。この時の感染者はいなかった、と記憶している。しかし、こうして徐々に「外」からの感染者が出始めて、とうとうキューバ人の感染者も。

キューバは観光で成り立っている。かなり重要な資金源が観光である。それを失うことの痛さ。なかなかに決断は下されなかった。3月半ば、ヨーロッパが国を閉じた。まるでそれを待っていたかのように同じタイミングでキューバも国を閉ざした。空港に到着する外国人はナシ。自国に帰りたい人と、海外からキューバに帰ってきたいキューバ人のみが空港に出入りすることになった。その時、キューバに居残っていた外国人は、かなりの数だったと思う。何千人だったか。帰りたい人は、できるだけ速やかに出るように。そして、残っている外国人たちは、外出禁止、できるだけ近場のホテルに移動するように、との達しがあった。

私には「帰る」という選択肢はなかった。できるだけ長くキューバに居たかったためである。この時に私がすぐにホテルに移動しなかったのは、このカサの大家の「つもり」が大きく影響している。私が去れば、ここのカサからの彼らの収入はなくなる。できるだけ長くいて欲しかったのだろう。

「あなたは、カサにいたいか、ホテルに行きたいか」と訊かれた。当然ホテルは高いと思っていたので、私はできるならカサに留まりたい、と答えた。彼らは満足そうだった。「あなたは外出できなくなってしまったから、僕たちがすべて買い物をしてきてあげる。君はここで自分の好きなように料理して食べて、世の中が落ち着くまで待てばいいよ」

そんな具合で、私はカサの居残り組みになった。この時、彼らが隠していた事実があった。それは、ホテルが激安であること。後に私が移動する、目と鼻の先にある5ツ星ホテル、ハバナ・リブレは、ここととほぼ変わらない価格で外国人を受け入れることにしていた。その事をかなり長く知らずにいた。教えてくれたのは、キューバ人の医師の息子で、日本に留学したこともあるエルネストという人。今回のキューバ行きでも私がまだ自由に出歩ける時に、数回、通訳をお願いしていた。本当にこの時も、またこれ以降も彼の助けがなかったら私の滞在はもっと大変なものになっていただろう。感謝の一言である。

また、ビザの問題もあった。こうして居残ってしまって、外にも出られずビザはどうなるのか。大使館に相談したけれど、実はあちらも把握していなかった。すべての情報が入り乱れていたのだろう。これに関しても、エルネストがくれた情報に助けられた。「今残っている外国人は、ビザの心配はないよ、帰る時まで全員がビザの必要がないんだ」。これには驚きだったが、今思えば当然だったのかもしれない。しかし、キューバはさすがの観光大国、外国人に対しては、こういう時には素晴らしい対応を示してくれた。

私はだんだん、大家の言っていることが全部は信用できないことに気づき始めていた。ホテルの金額を隠していたことや、ビザの件も。この時には、イミグレーションには直接に電話がつながらなくなっていたので大家の話を信じてしまっていた。

また、とうとうハバナでクラスターが発生した時もそうだった。この時のキューバの対応も素晴らしくて、8人のクラスターに対して、その地域全体を素早くロックダウンしてしまう、というもの。私は一応ニュースでそれを知ったが、どの地域なのかがはっきり掴めなかった。大家に尋ねると、「いやいや。大丈夫だよ、ここからはぜんぜん離れた場所だから」と。それはオカシイ、というのはすぐにわかった。正確にはわからなかったけど、ベダードのどこかであることは確かだった。私は再び、エルネストに電話をして確認した。すると、なんとウチから3ブロック離れたところからのロックダウンだった。3ブロックといっても。このあたりの一つのブロックがとても大きいので、距離はそこそこ離れていたが。それでもぜんぜん遠い、はウソだった。

私とて子供じゃないので、いくらよさそうな人でも全部が全部、信用できるわけではない、とはわかっていても、こういった嘘「外国人で、ニュースも、地域の名前も全部把握できていないだろう。ここにいては危険だと思われて出て行かれたらいやだから、遠くだよ、と言っておこう」という魂胆丸見えのウソは、どうにも歓迎しがたい。だんだん、信じる気持ちも失せて行った。おまけになんだかんだのウルサ型は、この人の性分らしく、ミリーが出た後の奥さんだけではなく、私にもいろいろと要求が増えてきた。なんだったのかはくだらないので忘れてしまったが、こちらもストレスになることには変わりない。おまけに、旦那からの鬱憤を晴らす如く、奥さんの方も私にいろいろうるさく言うようになってきた。たまらん……それまでは、屋上の洗濯物干しや、自分のシーツの取り換えも手伝ったりして、仲良くしていたのだが。

ちょうどその頃、すぐ近くに聳え立つハバナ・リブレの現在の料金は、「外国人のための特別価格、ほぼカサの料金と同じ」ということも判明し、気になっていたビザも、リブレですべて把握しているからなんの手続きもいらない、ということがわかった。ビザに関しても、カサの親父さんは、「ここの担当のイミグレに頼んであるから、返答はしばらく待っていてくれ」などと説明されていたため、私はうっかりそれを信用して動かずにいたわけなのだった。

大使館でもわからなかった情報をくれた救世主がエルネストだったことは前にも書いたとおり。彼は大学で日本語を選択していて留学経験もあったので、かなり日本語がうまく、もともとのスペイン語に加え英語もドイツ語（実はこれが第一外国語）も堪能だった。しかも、頭もよく、性格もしっかりしていた。ものすごく頼りになる存在だった。私は、この頃はまだまだスペイン語には自信がなく、特に電話で話すのは苦手だったため、彼にリブレに電話してもらい、私がすんなり移動できるかどうか、確認してもらった。答えは意外にもあっさりオーケー！　しかも「別に予約などしなくても、荷物もって移動してくれれば、その場で入れます」と。

こうして私は、外出できない外国人となってのキューバ生活を、カサからホテルに移すことにした。

ホテルでの話に移る前に、カサでの幽閉生活を記しておこう。3月24日にキューバにとっての苦渋の決断、一部の出入りを除く空港閉鎖が実施された。

しかし、この頃はまだ一般のキューバ人は外出できたので、私は、窓の外をキューバ人だけが歩く、不思議な光景を眺めながら過ごすことになる。すでに働く人にも時短は薦められており、午前のみか、午後のみというように働く時間を分けるオフィスも多かったようだ。向かい側の工事現場にも人が少ない時間が増え、いつも彼らのそばで遊んでいた猫は寂しそうだった。午後になってやってきた彼らの後を嬉しそうに、たたた、とついて歩く猫の姿がやたら可愛かったことを覚えている。あの子たちは、「何が起きたかなあ」と思っているだろうね、と。

ただ、過ごしやすいと感じたのは、皆の気持ちや心の持ち方がとてもおおらか、というかピリピリしていないことだったし、政府もできるだけ家にいましょうというキャンペーンのために、テレビでは素晴らしい企画の放送がたくさん流れていた。意識的にガンガン流されていた。

例えば、BVSC（ブエナ・ビスタ・ソシアル・クラブ）の紅一点の歌姫である、オマーラ・ポルトゥオンドさん。彼女は、「お家にいましょうね」というキャンペーンに駆り出されていて、楽しい歌をたくさん披露してくれる。スペイン語では「Quedate en Casa」になる。

その標語とともに、にこやかに登場するその顔を見ていると、素直に「そうしよう」と思えてくるようだった。素晴らしいキャンペーン。

また、新旧問はずのすばらしい映画の数々。海外のものも、キューバのものもあった。今まで見落としていて、観たいと思っていたものもあって、巣籠もり生活をなかなか充実させてくれていた。音楽で感激したのは、キューバの名だたる名ピアニスト、フランク・フェルナンデス。それまでお名前は知っていたし、実はひょんなことから某ライブハウスでお会いしたこともあったが、演奏はこの時のテレビが初めてだった。

キューバのオーケストラと共に演奏される、ストラビンスキーの「春の祭典」は素晴らしかった。この大曲も譜面なしで弾いてしまうことにも舌を巻いた。そして、中盤、クラシックであるはずのこの曲が途中からジャズのように聴こえ始めた。もともと、F・フェルナンデス氏は、オールジャンルのピアニスト、と言われていて、クラシックやジャズ、そしてその他の数多あるキューバの音楽もリズムもすべて弾きこなす人と言われてる。それらの音楽の垣根は彼にとってはなきものなのだと思う。

また、キューバのオーケストラもとてつもなく上手い。そして、こちらもまたオール・ジャンル。クラシックを演奏していても、あれほど楽し気に「揺れるオーケストラ」を私は他に知らない。

その日のステージの終盤、アンコールでキューバのソンを演奏し始めた。湧きに湧く客席。もちろん、クラシックの曲も十分に皆、楽しんでいたのだが、いよいよこれで終わる、という時にキューバの人にとって、血となり肉となったような音楽、ソンが鳴り始めたら、たまらないに違いない。総立ち、そして歓声。それを見てさらに楽しそうに演奏するピアニストとオーケストラ。皆が微笑んでいる。「微笑むオーケストラ」そんな言葉が私の胸に、ぽっと、灯をともした。

そんなふうだったから、一人きりのカサ生活もぜんぜん退屈ではないし、もともとお家生活も大好きな私は、ほぼ苦痛ではなかった。ただ、ひとつ、自由に出かけることができない、という点を除いては。

一方、世界ではどんどんコロナ禍が進んでいき、多くの著名人もその大切な命を落とし始めた。強く印象に残ったのは、ちょうど私が外出禁止の外国人になった3月24日。アフリカはカメルーンの偉大な音楽家、サックス奏者でピアノも弾きこなす、マヌ・ディバンゴが亡くなった。大好きなアーティストだったので、とても悲しかった。来日もされていて、某雑誌の撮影でお会いしたこともある。ソウル・マコッサという新ジャンルを打ち立てていて、腰に来るうねるビートに乗って心地よく躍らせてもらった。彼は星になったが、彼の音楽はいつまでも残る。かなり後だが、ハバナのホテルのテレビから彼の音楽ビデオが流れた時には、食い入るように見てしまった。

カラフルな画面、迸る音と笑顔。享年86歳だったが、まだまだお見受けする姿は高齢という域には達していないようにさえ見えたので、コロナさえなければ、と残念だった。

また、あとのお一人は日本の志村ケンさん。いつも日本のニュースはネットを通して見ていたので、感染のニュースになんとか回復して欲しいと思っていたが、残念ながら、だった。享年70歳。まだまだ現役だった。彼と彼らのパーフォーマンスでどれだけ笑わせてもらい、楽しい気分にさせてもらったか。彼もまた、人々の心に残っていく人だ。

輝く巨星たちが、ボンボンと音を立てて去っていくような頃、私もとうとうカサを出て、ホテルに向かうことにした。

4 ホテル・ハバナ・リブレ幽閉生活——一大社交場

あのカサの屋上で、いつも眺めていた、まるでタワーのように聳え立つ、ホテル・ハバナ・リブレへ移動した。この時には外国人が移動できるホテルが四つか五つあった。他のホテルは全部閉まっていた。後にリブレだけになるのだが。そういう情報もすべてエルネストがくれた。感謝してあまりある。

また彼は前もって私が頼んだすべての質問を聞いてくれていた。だが、どこの国からの人が多いのか、という質問だけは、エルネストは答えてくれなかった。「それはちょっと訊けません……」という答え。なぜ？　わからないままに、でももう、もろもろの安全を考えて移動しよう、決定した。

エルネストからはあと一つ、アドバイスをもらった。もし詳しい交渉事などが出た場合に英語を話すスタッフの名前を聞いておいてくれた。マイケル！

この時期、タクシーには乗れなかった。一般のタクシーはすでに営業を禁止されていた。大家が車をもっているので頼んでみたが、私がホテルに移動することにしたのが気に食わないため断られた。すぐ目と鼻の先の、車なら一分もかからないところなのに。荷物だけでも、と訊いたが、「いや」の一言。まったく、私はただの金づるだったのか、とも思えるような態度だった。

大きな荷物は後でホテルの人に頼んで手伝ってもらうとして、小さな荷物だけ持って出た。「予約なしでも大丈夫」とは訊いたが、本当か、と少しどきどきした。そういったことの「すれ違い」は、山ほど経験しているから。見慣れた、しかし、物凄く久しぶりのように感じるそのホテルの車寄せに近づくと、エントランスの外に、ホテルの従業員らしき人と、イタリア人と思しき、かなり高齢の男性がただずんでいた。別になにをすることもなく、することはなにもないのだから当然だが。私を見ると、嬉しそうに「おお、彼女は、このホテルに入るのか？」と横にいた女性スタッフに訊いた。「たぶん、そう」と、彼女は可笑しそうに答える。

「ようこそ！＝Bienvenido!」と大声をかけられたので「Gracias!」と明るく答えておいた。これから、この大型のホテル、ここでしか暮らせない人々の一員になるのだ。仲良く暮らしたい。

その男性は、おお、よいではないか、というように「うん、うん」と頷いている。一言目合格。

また、フロントに近づいていくと、その後、とっても親切にしてくれた、エミリオがいた。彼はスペイン語だけだったので、私もできる限りのスペイン語で「友人に電話してもらった日本人です。泊まりたいけど、大丈夫ですか？　発熱はないし、身体の具合はいたって健康です」と言った。かなり気合と緊張が入っている私を、ちょっと興味深そうに見て、「分かっている」というように対応してくれた。「すぐに部屋を用意するから」。しかし、カード払いをしようとした私に困ったようになにか言った、「待ってて」。後ろのソファに座って待つと、すぐに先ほどの男性とは違う、もっと年配のイタリア人のおじさんが、私の真横に来て座った。マスクなし！「えっ！」もう、ここからイタリアンの洗礼は始まっていたわけだが、ずっとカサにいた私は、外界の思いがけない成り行きにびっくりした。「やばいでしょ」。ここははっきりと意志をみせておかなければ、と速攻、すっくと立ち上がった。その様子をホテルのドアマンさんが、おかしそうに見ている。「私の行動、間違っていないよね？」

フロントの奥からマイケル登場。印象的な出会いだ。大きな声で「Welcome to our hotel!」とすばらしい発音で言ってくれた。久々に聴く英語になんだか物凄くほっとした。彼は、今Wi-Fiの状態が良くないのでカードが使えない、もう少し待ってて欲しい、と説明し。カウンターの中ですらすらと紙になにかを書いて手渡してくれた。そこには「ウェルカム・カクテル・ドリンク」の文字。はぁ、カクテルじゃなくてもいいんだけど。

「あの一階のカフェへ行って、飲んでてね」

今の私なら、間違いなくなにか飲んでる。でもその時にはそんな気分ではなかった。カフェで紙を差し出しながら「缶入りのスプライトを」と頼むと、「それでよいのか？」と訊きつつ、しかも、なんだかマイケルお墨付きのウエルカム・ドリンクに「あの人、なに者？」と言っている気配。いやあ、恥ずかしい。到着早々、いろいろあるわ。

こうして、とうとう真っ白い壁、ハバナの海と街を見下ろす、広々とした、お掃除付の5ツ星ホテルの部屋に入った。食事はここのカフェでしか取れないから、一日何回食べるか、自分で決めるシステム。もちろん、それによって値段は変わる。

ここから後の事は、それからそんなに長く滞在することになるとは思いもしなかった日々の中に溶け込んでしまって、前後関係はよく思い出せない。しかし、さまざまに印象的な出来事や、ホテルにいるうちからしたためていたメモや文章を読み返したり、忘れもしない出来事などを書いていこうと思う。

まず、ご想像に難くないと思うのだが、このホテルには、イタリア人がわんさかいた。最初にそれを知った時にはさすがにビビった。なにしろこの時期にはイタリアで感染が爆発していたのだから。そして、エルネストが「それは訊けません」と言った理由が、それだったか、と分かった気がした。

そうだ、思い出した。ここのホテルの部屋に入るなり、第一関門、エアコンが壊れていた。速攻、部屋を変えてもらわねば。荷物を解いてからでは遅い。すぐにフロントに電話。すると、その件ならオフィスに電話するように言われる。このあたりのシステムを知ることからホテル生活は始まる。しばし待つうちにドアにコンコンとノックの音。開けると一人の男性。にこにこ笑っている。どうぞぉ。これが、エリック。この後、大切な友達になる。いや、少しだけ友達以上か？　これは実に微妙な言い方だ。後で面白いエピソードに発展する。

「エアコン、冷たい風、出ていないと思うんだけど？」

「どれどれ」てきぱきと動いて、スイッチを入れたり外したり。別のスイッチを探索したり。これは同じホテルの客室のエアコンと言えど、部屋でシステムが違っているからだ、と分かった。いつ、その部屋のエアコンを取り換えたか、で変わるのだった。結局、「壊れてるね、部屋を変えよう」「ありがとう」、ということに相成ったが、これを待つ間に私はつけっぱなしにしていたテレビから出てきた音楽に合わせて踊っていた。

すると、エリックも嬉しそうに踊りに付き合ってくれた。「あはは」これだからキューバは好きよ。ただ、やはり仕事中なので、踊りは一瞬だけ。でも、その一瞬で、仲良くなれた。「たんぽぽの、綿毛を吹きて　友となる」。そんな日本の歌があったように思うけど。そんな心境。この「歌」は、なんとなく小学生くらいの子供の姿を連想するが、キューバの場合、こういう心境は立派に大人でもあり得る。そんなところが大好きなのだ。

無事、部屋も変えてもらって、ハバナ・リブレ生活は始まった。

〈その前に、片付け事〉

無事ホテルには入ったが、やるべきことが残っていた。まず大きな荷物を運びこむこと。これはホテルマンに助けてもらってすぐにやった。もう一つは、払ってしまっていたカサの代金を返してもらう事。これが難行した。海外で何事かをしたことのある人はすぐに想像がつくだろう。最初から「もう支払ってあるカサの代金を返してもらうのは大変である」ことはわかっていたが、しかし、それまで我慢してカサに住みつづける気持ちにもなれなかった。

一応、出る時に「返してくださいね」とは言っておいたが、いつ？と訊いても、ぐずぐず、ぐずぐず。これは困った。その時、唯一、ここのホテルに泊まっている日本人である女性も加勢してくれた。「実は私もそうなのよ、返してもらえなくて困っている」。いずこも同じ。

彼女は、すでにここのオフィスにも相談していたので「新しく入ってきたあの女性も同じらしい」と伝えてくれた。「すぐにその人をここに呼んで！」とのことなので、オフィスにいるジャディラに会った。そんなこともホテルは助けてくれるのか、という事実に少し驚きながら。「マイケルが相談に乗るから」とのことなので、それ以降は彼に頼ることにした。「それは困ったなぁ」。簡単にはいかない物事とわかっている彼も、頭を抱えた。カサの主人と何度かのやり取りの後、強硬手段にでることにした。マイケル曰く「ここ、ハバナ・リブレのイミグレは、一般カサのヤツよりずっと強い立場にある。彼に言いつけるから、と言って無理にでも取り返せ」、というのであった。また、あの日本女性が横から「返してくれなかったら、警察に言うわよ、くらいメールに書かなかったら駄目よ」と。

はてさて、この人は自分でそう言ったんだろうか、という疑問は置いといて。マイケルもその気になって、その通りの文章のメールを送ることにした。書いたのはマイケル、送ったのは私のスマホからである。なんだかすごいことになったなあ、とは思ったけど、やすやすと返す人たちではない、とはわかっていたので任せることに。すると、今までののらりくらりが嘘のように「いついつだったらカサで待つ」との返信。マイケルにも同行してもらった。

ここからの話がけっこう笑える。もちろん楽しくはない思い出だが、かなり笑える。

カサまで戻って金属とガラスの二重扉の外で、チャイムを鳴らす。出てこない。う〜む、しびれを切らした私がガラスの扉をコンコン、と持っていたキーで叩く。何度かそれを繰り返した後、ようやくしぶしぶ、というように、奥さんの方がでてきた。手にはお札。やったね。私はすべてをマイケルに任せていた。扉の際でマイケルが礼儀正しく挨拶している。それはなかなかに見事なものだった。私は怒っていたので、とてもそういう態度はできなかったと思うから、彼に任せていてよかった、と思いながら見ていた。礼儀正しいのは良いことである。それに対して奥さんも、別人のようにちゃんとした態度。二人で礼儀正しく仲良く話している。

で、いざお札を受け取る段で、マイケルが私に直接渡すように言うと、「何メートル離れててくれないと」と言った。つまりはコロナが危ないから、近寄りたくない、ということだ。これにはマイケルも驚いて目を真ん丸。それでもお金を受け取った私を確認して、礼儀正しくお礼を言っている。あちらも彼に対しては、すばらしい奥さんぶりを発揮している。いい加減にしてくれないかな。「あの、警察云々とか、こちらのイミグレの方が強い、とか書いて脅したのはこの人なんですけど」と言ってやりたかった。でも、もうこの人たちとの縁は、これで終わりなので、ほっといてさっさと去ることにした。

さすがのマイケルも、やれやれ、という感じでそれでもちゃんと取り戻せたという事にほっとしていた。あの日本人の彼女の方は、どうかというと、まだ返してもらっていなかったし、ホテルにいる他の外国人も、カサの代金を返してもらえないで困っている人が少なからずいることが分かった。

カサを出てから一度も旦那の方とは顔を合せなかったが、メールのやり取りは主に旦那とやっていた。交渉中、旦那は「あなたが僕たちに対して、警察云々言い出すなんて、とても不満だ」……。いえ、あの文章思いついたのは友達だし、書いたのはマイケルだったんですけど。なにより、ちゃんと返そうとしなかったのはあなた達……。

5　友達ができる⁉

こうして少しずつホテルスタッフとも仲良くなりながら、泊まり客との出会いもできていった。すでに書いたとおり、日本人の女性が一人いたことも驚いた。しかし、彼女はキューバにボーイフレンドがいるため、なるべく早くこのホテルから出て外での暮らしをしたがっていた。なぜ、ここに来たかというと、「外国人ホテル移動令」の出た時に、外にいることを正式にオーダーできなかったためらしい。そして、私が到着してから、約一週間ほどでめでたく出て行ったため、友情を温める機会はそれほどなかった。それでも久々に話せる日本語は嬉しかったし、ホテル生活先輩の彼女からいろいろ教わることもあった。そして、その後ホテルの内と外の生活の違いで、お互いを助け合うことにもなった。

彼女がいなくなった後は、日本人は私一人。もうずっとすべて周囲は外国人の生活。今までもそうだったから、別にそこに違和感は特にない。すでに書いたとおり、凄い人数のイタリア人がいた。全員、「イタリアで感染が爆発する以前からキューバに来ていた」と主張するので、そうなのだろう、と思っているしかなかった。また、外国人ホテル移動令からすでに三週間以上経っていたから、皆、現在設定されている隔離期間はクリアしていた。

しかし、最初に友達になったのは、意外にも少数派のドイツ人の中の一人だった。ことの成り行きは、こうだ。

けっして自慢するわけではないが、私はこの世で何かが起きると、「役に立ちたい」という気持ちが強い。社会の一員として、などと大げさではなくても。なので、アイデアが浮かぶと、それを実現できる方法をすぐ考え、実行に移してしまう。

こうしてキューバにいる時もそうだった。私は、日本とキューバのコロナ対応の違いも見ながら、とりあえずキューバの心配をすることにした。すでに書いたが、キューバは医療先進国である。その点は心配ないが、なにより米国の封鎖が気がかりだった。私のその予感はあたっていたのだが、それについてはまた詳しく書く。とにかく気がかりだったので、もし医療物資が少なくなった場合を考えて「キューバには3Dプリンターはありますか？　それがあれば、例えば呼吸器が少なくなってきても造ることができます」とあのエルネストに伝えた。何故なら彼は、医師の息子だったのだから。そのお陰でキューバ医療のさまざまな現状も聞くことができたし、とても助けられた。「たぶん、そういうことはわかっていると思う」という返事だったが、いったいどこに3Dプリンターがあるのか、何台あるのか、まではわからなかった。そこで科学技術省だったか、この時、本当に連絡したのがどこだったか正確に思い出せないのだが、しかるべきところに連絡した。その連絡先を知るのもけっこう苦労したが、あの英語の話せるマイケルに頼んだ。彼はしっかり者なので、常に人々から用事を言いつかっててんてこ舞いだった。なので私のこういう訳のわからない頼みごとに対して少なからず迷惑顔になったのは残念だった。それまではけっこう、仲の良い友達だったから。それは置いといて。

私はどうにもはっきりしない事態に、なんとかならないか、考えた。思いついたアイデアはどこかの海外から3Dプリンターを送ってもらう、ということだった。ちょっと飛躍していたかもしれない。だがその時は必死だった。どの国に頼むか。ヨーロッパのどこか。イタリアとスペインはすでに感染が爆発。とてもじゃないけど他国にかまえないだろう。ではドイツはどうか。ドイツでも感染はかなりなものだったが、トップがしっかりしているし、経済的余裕もある。なので、ドイツ大使館にメールをすることにした。こうして日本で客観的に書いていると「だいぶ変わった人ね」というように自分でも思うけれど、その時は本気だったし、実現出来たら素晴らしかったと思う。（その後、キューバが呼吸器を3Dプリンターで作っている、という写真入りの記事を見て嬉しかった。）

その時期、もう一人のマイケルに会った。フロントでチェックインの手続きをしているドイツ人の大男だった。私が求めていた国籍ではないか。翌朝、偶然に朝食のカフェで会ったので、「ちょっと話しても良いですか？」と、ドイツ大使館のメールアドレスを知りたい、と訊いた。「どうして？」「こうこう、しかじか……」

「3Dプリンターは、あなたが買うの？」そんなわけないでしょ？　ちょっと変わってるわ、とは思ったが、彼は快く「今は持っていないけど、大使館には友人がいるからアドレスと名前を教えてあげる」とのことなので、頼むことにした。もちろんその後、教えてもらったアドレスにメールした。そして、もちろん、すぐに返信は来なかった。想像の内である。

しかし……これが関係あるかどうかはわからないが、何か月も後、ヨーロッパの感染状態とその対応に一応の落ち着きを見せ始めた頃、「ドイツが、キューバ大使館とともに、協力できることについて会話を始めた」という記事を目にした。もちろん、私のメールが関係しているかどうかなどわからない。それでもなんらかの進展があったなら嬉しいけどな、と思った。

ここのホテルには、大きなプールがある。この本の最初の最初に書いた、あの螺旋階段を上がっていった先、右手のバーを通り過ぎるとある。そこのプールサイドは、ちょっとした社交場になっていた。驚きだった。このコロナの時代に、ホテル内とはいえ社交場があるなんて。

当初はそこに足を踏み入れなかった。「危ないでしょ」と思っていた。プールサイドに足を踏み入れたのは、あのドイツ人のマイケルがそこにいる、と言ったからだ。大使館の連絡先を訊くために会いに行った。かれは少しよれた紙に手書きでメールのアドレスと大使館員の名前の書いた紙を見せてくれた。私はそれをメモし、ありがとう、と立ち去ろうとする。と、彼は私を引き止めて「カードゲームをしないか？」と言ってきた。「皆はそんな遊びをしているのか」とちょっと驚いたけれど、ここはカサの内側とはずいぶん違う世界だった。ちょっとだけなら、と始めてみるとこれが面白かった。とても変わったカードで初めて見るものだった。彼は「このカードは僕の友人が置いていってくれたものだ」と言っていた。同じくプールサイドにいた、彼の友人らしきイタリア人を誘って三人でゲームを始めた。

もう絵柄の種類さえ忘れてしまったが、いわゆるトランプとはずいぶん違っていた。ドイツのカードだったのだろうか。その絵柄や数字でルールがあり、すべてのカードを最初に切ってしまった人が勝ち。シンプルかもしれないけど、絵と数の組み合わせやルールのあり方には頭を使わせる部分もかなりあり面白かった。なにしろ私は子供の頃からカードゲームがけっこう好きだったし、そして強かった。最初の頃こそカードに慣れている彼らには勝てなかったけど、だんだん勝つ回数が増えてきて、互角に闘った。

そうなると面白くなって嵌った。最初の頃、三人はほぼ同じくらいの実力だったが、慣れてくると私の勝つ回数が増えてきた。単純なゲームだし、賭けてもいないけど、勝ち負けがあると盛り上がる。私は勝っておおいに喜んだり、人が勝った時に得意げにするとその態度を冷やかしたりして、心の赴くままに楽しんだ。

もう一人のイタリアンの名前はジャニといった。ちょっと小太り気味の地味な感じの人だが、いい人だった。このゲームには、いわゆる麻雀でいう「振り込む」的な部分もあり、うっかりそれをやると相手に勝たすチャンスを与えてしまう。彼は私がマイケルに振り込んでしまうと「あ～あ、まったくぅ。きっと夜になったら二人はいちゃいちゃしているいに違いない」とかなんとか、からかっていた。私は近くにあった金属製のバーかなにかでぶつふりをして遊んだ。勝った時にはテーブルの横で軽く一人で踊ることにしていた。

こうして書くと、なんだかものすごく派手に遊んでいるようだが、そんなつもりは毛頭なかった。カサにいた時には、特に寂しいとも不自由だとも思っていなかったが、こうして多くの人々の間に入って、突然、友達もできてカードをして遊ぶなんてたまらなく楽しかったのだ。プールサイドで屯している人たちも、面白そうに、可笑しそうにそんな様子を見ていてくれた。

私は、カサにいる時もだったが、ホテルに移動してからも歌の練習を欠かしていなかった。やらなければすぐにダメになることを承知していたから。

そこで、一つ楽しい企画を思いついた。ホテルの20階には気持ちよく風の吹き抜けるロビーがあった。そこで、ゲリラ的にミニ・ライブをやるのである。これはなかなかにいい感じにできた。マイケルやジャニはもちろんのこと、その時お隣の部屋にいたアルゼンチンのカップルや、通りすがりのホテル内の人。そして、この階のお掃除担当の女性も「参加していい？」と来てくれた。仕事中だけど、とやかくなど言われないのが、キューバ。この人は、他の誰よりも真剣に耳を傾けてくれているのが分かり、あらためて聴衆にも言える「音楽大国」を実感できた、楽しい思い出でもある。

そんなことを何度か繰り返しながら、私たちのカードグループもどんどん親しくなっていった。

「幽閉ホテルが、こんなところだったとはね！」思いがけなく楽しい展開に、パンデミックの最中の外国生活もまんざらではないような日々が流れていった。しかし、これはさほど長続きする楽しさではなく、思いがけない事件が起きてしまう。

それはある中国の女性だった。このホテル内部にはアジア人は三人。あと一人はベトナムの人。だからと言って、国籍で特に仲良くなったわけでもなんでもない。彼女がある日、私に話しかけてきた。「カード楽しい？ 難しいの？」「え、楽しいわよ。別にそんなに難しくないし。一緒にやる？」

彼女はこの時「いいえ」と答えた。「そう……？」。実は私はこの人にそんなに良い印象は抱いていなかった。何故かと言うと、あのドイツ大使館の連絡先をもらうためにマイケルを探している時、「もう帰っちゃったわよ！ ドイツの人は今日の便で皆出ていったんだから」と、少し意地悪く私を横目で見ながら言った。

「そんなわけないわ、今日くれるって言ったのだから」。実際、そんなわけはなかった。なので、ちょっと信用ならない人、という印象は抱いたが、そんなことは忘れていて、遊びたいならどうぞ、とも思っていた。私もお人好しなのである。

しかし、これは抜け目ない彼女の計画の第一段階で。ある晩、少し疲れ気味なので部屋に戻ろうとする私を、マイケルが呼び止めた。「あの彼女がカードをやりたい、と言うんだ。ちょっとだけ付き合ってくれないかな？」。そういうのにも理由はあった。彼とジャニは英語を話さない。あの彼女はスペイン語を話さない。つまり私がいないとルールや遊び方を伝える人がいなかったのだ。それはそれとしても、その瞬間、私にはピーンとくるものがあった。私には「カードをしない」と答え、マイケルに「遊びたい」と持ち掛けた。もう、女性の直感はバリバリ動く。そしてその夜、登場した彼女を見た瞬間、いよいよため息ものであることが分かった。

ここは、ただのプールサイド。避難場としてのホテル。単にカードをして遊ぶ場である。どこかの「社交的賭け事の場」ではないのだ。そこにむちゃくちゃ、セクシーにめかした彼女が登場した。片方の肩を出したワンショルダーのミニワンピース。胸の線ぎりぎりの斜めのラインが危なげ。透けたレース地の水色のミニの裾にはスリットまで入っている。「あのぉ、なんでここにその恰好?」心の中で呟きながら、しぶしぶその場にいた。

お断わりしておくが、私はけっしてマイケルに特別な感情は抱いていなかった。カードをして遊んでくれるのは嬉しいし、時には「門戸破り」(黙って出てはならないのに、あの大柄な身体でホテル抜け出しをやっていた)をして外に出た時に、私がいつも欲しがっていたトマトを買ってきてくれたりした。いい人じゃない?と言われそうだが、そこまで! 何故なら、彼には少々、上品さが欠けていた。私は、今までカサに籠っていたうっ憤を晴らすように、よくジョークを思いついては人に笑ってもらうのが好きだった。そのお返しのつもりか、マイケルもジョークを披露してくれるのだが、時にはセクハラ、時には汚い話で、少々うんざりものの笑えないものも多かった。申し訳ないが知性の欠如を感じる点でもあった。また、買い物をした時にお金のやり取りの仕方も。なのであくまで単なるカード仲間であった。決して、他の女性が近づくのが嫌だ、というのではない。

さらには、その中国の彼女には彼氏がいた。やはりドイツ人だった。この人は、マイケルとは対照的に堅物そうな、「エンジニアです」という事だった。この時、彼女の後ろから一緒にやってきていたが、私は「この状況、どう思っていますか？」と、こういう点においての男性の鈍さを危ぶんでいた。結果的には彼が気づいたときには手遅れだったが。

この時に話を戻す。私は気づいていながら、お人好し過ぎた。彼女にルールと共に、カードの手のやり方、例のあの「振り込んではいけないこと」まで全部教えてあげた。それを飲み込んだ彼女を見て、なんとマイケルの許しがたい一言。

「あはは、彼女は賢いなぁ！　マリコも賢いけど、彼女のほうがもっと賢い」

あのねえ、信じがたいんだけど。それ全部、英語ができない、もしくはスペイン語のわからないあなた達のために私が教えたんだけど！　私がぶち切れるのも当然。もちろん、本当にはやらないのだが、ビールの缶を持って彼の頭にかけるふり。「わぁ」と言って頭を抱える彼。もう、無茶苦茶。ゲームどころではなくなった。

こまかい経緯は、省く。書けばちょっとしたゴシップネタくらいに、もろもろ面白い話もあるのだが、くだらなすぎるので端折る。この夜、部屋に戻ってから落ち着いて考え、「もうゲームはやらない。いい加減楽しんでそろそろ飽きてきたし、あの彼女の積極攻勢が続くのは目に見えているし」

翌日のプールサイドで、それを伝えようとしていたら、あの彼女の方がマイケルより先に来て、私がいつもカードをやっている席に座っていた。今考えれば、もうすでに相当なのっとりが始まっていたわけ。そして、私の言葉を聞くと、自分でも「ゲームはやらない」と言う。ウソに決まってる、すぐにわかったが、本当にウソだった。

その後は、やたらと熱心にゲームにいそしむ姿、どこかで買い物に出てきたのか、夏用の真新しい帽子を、夜中のプールサイドというのに被り、マイケルと二人だけ（つまりあの彼氏は抜き）で話し込む姿、という観たくもないものを、偶然目にしたり。

それでも社交場なので、居残っていたスペイン人からスペイン語を習っている私の側を、ついに察したのかあのドイツ人の「彼氏」が固く青ざめた顔で、一人、部屋に戻る姿などを目撃した。「あ～あ」、今わかった？

ゲームの相方で、私のファンでもいてくれたジャニが心配してくれて「また、ゲームをやろう」と誘いに来てくれたり、当のマイケルが食堂で食べている私の所に来て「カードやらないか？」と言いにきたりさえしたが、願い下げ。何故、そこまで嫌がるかと言えば、その後、私が仲良くなって、別のカードをして遊ぶようになったイタリアンと私たちに、ずいぶんと迷惑なことを仕掛けたりしたことがあったからだ。

こうして、あっという間の、楽しい、短い夏休みみたいな「トリオ」の期間はおわりを告げた。結果を言うと、あの中国娘は、マイケルを口説き落として、共にドイツに行った、らしい。というのも、その頃は「一時的なロックダウン明け」で、私は料理の美味しいカサに移動していて、事の次第をつぶさに知らなかったからだ。ずっと居残り続けていた、モロッコ人の年配の女性から聞いた。思い出してみれば、ある日、直射日光の射す、明るいプールサイドで恐ろしく目立つ格好の二人。中国娘とドイツ人のもともとの彼氏が二人、二つの寝椅子にいた。水着に白いタオルのホテルガウン、前をはだけ。そして真っ黒なサングラス。あれは何？　上階から、下を見下ろしていた私はびっくりした。後で思うに、あれは「お別れの儀式かなにかだったかな？」

一つずつのシーンを思い出してみれば、映画の中みたいで、他人事ならばそこそこに面白い。だが、変なぐあいに関わった私にとっては、なんとも心に刺を射したような思い出だ。

しかし、この一件で私が学んだ事がある。やりたいこと、したいことがあったら、自分でトリに行け。私も含め、一般の日本人はおっとりし過ぎている。私は一般から見たら、自分から起こす行動が多いと思っていたけど、世界の基準でみたら、ぜんぜんそんなことはなかった。それは、この一件に限らず、他の多国籍人からみても、大いに学ぶことであった。

私は十分すぎるほどに間抜けだったし、お人良しでもあった。この体験から私は、人の見方が以前よりずっとシビアになった気がする。それは私が自分で気づいて、自分で積み上げたものだから、けっしてネガティブではない。シビアになった分、本当に大切にしたい友人関係は、徹底的に大切にしたい、と思うようにもなった。これは本当に進歩だ。以前のお付き合い関係は、常にそんなに選りすぐったものではなかった。いろいろな都合や、仕事の関係やら、なにか理由のある付き合いも少なくなかった。しかし、そういうものの脆弱さ、もし仕事が終わったら、それで消えてしまうかもしれないもの、に気づくようになった。逆に、そうではない、ほんの少数の友情に対する大切さが際立ってきたのは、この時のみではなく、コロナ禍で籠っている間の経験がもたらしてくれたものでもあった、と思う。

5　クレージーな人たち

おお、イタリアーノス

ばかばかしくも、変な思い出を披露してしまった。キューバの明るい陽光、軽やかに跳ね上がるリズムには似合わない。しかし、ここはコロナ禍の中の「幽閉所」であり、いるのはキューバ人のスタッフの他はほぼ全員、外国人なのだ。必然的に「キューバの物語」そのものではなくなってくる。

私は、このホテル内ではまだ新参者だったし、周囲の人の観察はまだまだ進んでいなかったが、以前からいる人たちは暇で暇でしょうがないから、敏感に周りの人たちの観察も進んでいたようだ。どうやら、あんなに楽しそうにカードをして遊んでいた私とマイケルが決裂した、と分かるとすぐさまイタリア人のグループが私を呼んでくれた。これは有難いに違いない。

イタリア人たちも、グループをつくってさかんにゲームをしていた。彼らのゲームはそれまで私たち――マイケルとジャニ、ジャニは実はイタリア人だったがあまりイタリアっぽくなく、だからなのかどうかはわからないが、彼は私たち国際混合グループで遊んでいた――のカードゲームとは違っていた。私はまた新しいカードのルールを覚える必要があったが、もともとカードが好きなので、それは苦痛ではなかった。

彼らのしているゲームは、なんと「quarantena」これはイタリア語で、スペイン語の場合は、

「cuarentena」となる。40日を表す言葉。笑ってしまうではないか。

この語源は、カードの数字が、40以上になったら表に開いて置けて、そして、人のところから欲しいカードももらって来れる。その40なのだが、偶然なのか、もともとの語源もそこから来ているのか、あのもといたカサの女主人が「来て良いよ」と言った、40日め。「検疫終了の日づけ」なわけだ。昔、船乗りたちが新しい港に着いたら、40日間の検疫があった。その期間にした遊びなのかどうかは知らない。しかし、偶然であっても、「幽閉中」の人々がこの数字を意味するゲームをしているのは、なんとも面白かった。

こちらのカードは特殊なものではなく、ただ、通常のトランプが2組必要だった。それだけたくさんのカードを使うので、かなりな大人数でもカードはできた。

イタリア人のグループは、今までカードをやっていたトリオとはずいぶん雰囲気が違っていた。一言でいえば、ちょっと荒々しい。全員が、俳優か（ハンサムだ、というわけではない、申し訳ないが。一人、とびきり目立つハンサムはいたが）、マフィアみたいな顔をしていた。つまり相当に印象的なメンバーだった。

私は、私を呼んでくれた大柄でマフィア系の顔をした男と、とびきりのハンサム君の間に座った。そこにおいで、と言われたからまったく偶然である。ゲームの進行は早かった。あっというまに、どんどん進んで誰かが勝ち、次の一手に進んだ。すぐに覚えられない。しかし、私を呼んでくれたその男は二回続けて勝ち、ご機嫌だった。「いやあ、君は幸運の女神だ、ずっとここに座ってて」そんなことを言われた。そんな「ツキ」というのもあるのかもしれない。一方、ハンサム君は、まったくだめだった。ルールを知らないままに見ていても、「手」がまったく良くないのが分かった。「だめだなぁ」と呟く、「ほんとね」ちょっと気の毒。別に私は何も意図していない。まったくツキの問題なのだけれど。

そんなふうにして、私は新しい人たちのグループに参加していった。

イタリア人グループは、なかなかに血の気が盛んだった。たぶん、賭けたりしていたこともあるのだろう。ある日凄い喧嘩を見た。カードをしている途中。その時はまだ、ホテル内にそうとうな人数が宿泊していた。たぶん、二百人はいた。もっと多かったかもしれない。その中でも人数の多いイタリア人。あちこちで、なんどか争いごとを見た。彼らは、それでやはり分裂もしていたようだった。ナイフがなくてよかった、と思えるほどの激しさだった。正直言って、なかなかに見ごたえのある様子であった。印象的な顔立ちの彼らが本気で喧嘩していると、まるで映画かなにか見ているようだった。

私はこんな彼らとのカードゲームはちょっと距離を置いていた。その分、人間観察はさせていただいたが……。イタリア人は、一人の女性を除いて全部男。そもそもここにいる人の大半、98％くらいまでは男性だった。時々、やってきてはどこかに移動していく、別の国のグループには女性もいたが、全員がかなりな年配で、そうとうなお年の人もいた。

そんな中、どのグループにも属さない、一人きりの男がいた。一週間でいなくなった、あの日本の女の子いわく「彼はすぐに喧嘩しちゃうから、もう誰とも遊べなくなったのよ」。なるほど。

エクササイズ好きのイタリアン

それでも彼は、がっかりしている様子もなく、特に寂しそうでもなく、「我が道」を行っていた。はっきり言って、物凄く変わっていた。こうして書きながら、「変わっていない人なんていたんだろうか」と思えるところがなんだか凄い。

たとえば、こんな風。

ある晩のこと。深夜、ホテル内を散歩したくなって歩いていると……。運動不足だから、夜の寝つきがよくなかったりもするのだ。

フロント階のロビーと、一つ上の階をつなぐ大きな螺旋階段でイタリア人の彼に会った。会った、というよりも、ゆらゆらと揺れながら、半分亡霊のように階段の上まで上がってきた姿に出くわした。ふざけて押す真似をして遊んだけど、正直、危なっかしくてたまらない。どうぞ、もう少ししっかり上まで上がって、と指し示すと、あれは、なんの酒だったかな、そうだ、ジントニック系の匂いをぷんぷんさせて、ということは、私は彼の息を吸ってしまっているのだ、このコロナの時代なのに！　そして、この亡霊もどきは呻くように言う。

「一人ぽっちで、寂しくて、僕は君を愛している」あ〜あ、はいはい。

もう笑うしかないでしょ？　彼は、いつか確か、私の事を可愛い、可愛いと言い続け。無理だと思ったのか、単に気が変ったただけなのか、「僕はあのチナは、とても可愛いと思う」と例のあの中国娘の事を言い出し。「あのぉ、イタリア人ならば、まず目の前にいる人を褒めてからにするべきだと思いますけどね」と言ってやった。

そのチナにはもちろん、あのドイツ男がいるにも関わらず「どうしたらアプローチできるか」、と本気で考えていたもよう。それも、ダメとなると、こうして深夜にハムレットの父王のごとく、ふらふらと徘徊しては、偶然会った、別のアジアン、私の事だ、に「愛してる」とかなんとか、言うことになるのか？

ああ、こうして書くだけだと、あのクレージーで、どうしようもない、滑稽で、しかし、わりと憎めない、初老はとっくに過ぎた、しかし、老人と言うにはまだ生々しすぎる、そして、やはり憎めず、どこか可愛い、あの雰囲気が、少しは伝わるだろうか。

やせ型。いつも、かなり大きな荷物を背負っていて、時々、大音量のけっこうポップでいい感じの曲をガンガン鳴らしながら歩いている、ホテル内をね。そうだ、最初、私がこのホテルに到着した時に、まっさきに挨拶を送ってくれたのがこの男だ。そして、このホテルに入った時は、同じ階の部屋だった。廊下で会うなり、僕の部屋に来るか、と言われた。あのねぇ……

しかも、時々、ヤキが回ったみたいに、もうぎりぎりで目のやり場に困るほどの低い位置にウェストがある＝股上数センチ、の短パンジーンズをはいていた。困ります……彼の顔の特徴は、かなりなご年配なのに、唇が赤くぺろっと光っているところでもあり、それが妙な生々しさを見せていた。例の日本人の情報によると、信じられないほどに若いキューバ人のガールフレンドが街にいるそうだ。もちろん会いには行けない。

情報源でもある日本人の女の子は、彼のことをこんな風に話していた。「プールサイドで暇だったからおごってもらったんだけど、この後、当然、僕の部屋に来るよな」と言われたって、呆れ顔ながら、なんとなく嬉しそうに言っていた。ナンパされてナンボ、の感覚のある人には、やはり、アホで、数うちゃ当たると、本当には思っていないかもしれないが、態度としてはそうともとれるほどのものは、そんなに嫌なことではなく、言葉と態度遊びの一つとして、歓迎なのだ。煩かったり、度を超えていたりするとアウトだけどね。

また、彼女はこんなことも。「あのイタリアのおじいちゃんたち」と、彼女は言った、「全員、例の彼も含め、キューバ人の彼女がいるのよ、でも会えないから全員欲求不満で大変！」

それは穏やかではない。全員、キューバに彼女、はどうかわからないが、そこそこの確率でそうだった。別に驚きはしない。

さまざまなオカシな人たちの面白いエピソードが頭を去来する。

「一人でいる」で思い出した人があとお一方いる。いや、正確には「一人でいる」わけではなく、「どのグループにも属していない」というほうが正しい。彼とは、ほとんど話をしたことはなかったけど、その物腰し、態度、視線、表情などから、礼儀正しくセンスのある人、とお見受けした。なかなかに魅力的な人物である。一人でいるのも、カッコいい。

お年のほどは、たぶん、この滞在者イタリアンの中でも最高齢だろうと、と思わせた。しかし、高齢の弱さが感じられない。よく、一人静かにプール付きのバーの外側にある鉄製の柵にも

イタリア人のデコボココンビ

たれて、プールサイドに屯している人々のもろもろを眺めておられた。あ、突然、敬語になっている。そんな方である。どちらかと言えば小柄だった。どこの出身かは聞いたかもしれないけど、忘れてしまった。ナポリ？　どちらかと言えば、南のタイプ。イタリアは、かなりはっきり南の小柄な人と、北の背の高めの人とに分かれていた。もちろん、例外は、どこにでも、どんな例にだってある。この人はお洒落な雰囲気だけど、思いっきりの都会、というわけではなくて。近くを通ったり、目が合うと「Buon giorno ＝おはようございます」などと、短くなった煙草を親指と人差し指の二本の指に挟みながら、低めの声で丁寧に挨拶してくれる。しかも、温かい。もてただろうなあ、と思わせた。

しかも、よくスペイン人のグループに入ってお喋りしていた。近くにいるイタリアンが、「おいおい、御大は、スペイン人と一諸かぁ？」などと言い、軽くからかわれていた。イタリア人は、血の気が多く、わいわいがやがや。どちらかと言えば、ここにいるのはスペインのグループの方が静かだった。そんなことを言われても、御大はちょっと笑ってさしてとりあわず。静かにお喋りを続けている。そんな感じだった。今、思えば、もう少しこんな人と話してみればよかったなぁ。7月あたりからか、やっと動きだした、イタリア行きの特別便に乗って、帰って行かれた。こういう便は、イタリア人しか乗れなかった。

お喋り、についてだが、ここでの公用語はほぼスペイン語だった。キューバはスペイン語なのだし、そして、ここにいてわかったのは、スペイン語とイタリア語というのは思っている以上に近いのだった。なので、ここにいるイタリアンは、もちろん自分たちだけで話すときには、イタリア語も使うが、必要あればいつでもスペイン語にシフトしていた。なにしろ、好きでキューバに来て、しかも彼女がいたりする人達だ。ほぼ、全員がスペイン語をかなり流ちょうに話した。このネイティブではない、しかもすっきりわかり良いイタリア人達のスペイン語によって、私はかなりスペイン語のレベルアップができた。有難いことに。やはり日常で会話が一番だ。

さて、いろいろな人がいたなぁ、と思い出す。皆、ちょっと色っぽくて、幽閉生活にげんなりしていて、だから、というわけではないが、本当に数少ない女性は大切にされて、常に軽くもてていた。だって、相手はイタリアンなんだから。

超ハンサム君

私はどちらかといえば「おかたい」方だし、そういうのは立派に彼らには伝わるから、さほどには変なことも起こらず済んでいた。しかし、ある晩。

例のどハンサム君に会った。彼は、いかにイタリア人といえども、あそこまで?というほどのハンサムだった。しかも、珍しく若い。まあ、三十歳代か。彼には思わず「ハンサムよねぇ」と見てしまう私の視線は伝わっていただろうし、自分でもそれは意識するしかない美貌だった。まだ私がプールサイドで例のグループとカード遊びをしていて盛り上がっていると、面白そうに見ていてくれたし、時々微笑みを飛ばして頷いたりしてくれていた。ある日、レストランに入っていくと、10人ほどのイタリアンが、大テーブルを囲み、食事中。壮観である。「今日のランチはなぁに?」誰にともなく問いかけると、かのハンサム君が「ビーフだよ」とすぐに答えてにっこり。嬉しいわよね。でもそれだけ。

だったのだが——。

ある夜。食事の後に部屋に帰るためにエレベーターに乗ると、ちょうど彼と乗り合わせた。あと一人、同じ階の住人が一緒だったけど。一言、二言、挨拶がわりの言葉を交わした、両方と。その時、彼の腕に美しい刺青が入っているのが目に入った。それまでは半そででではなかったのか。初めて見た。なので、「綺麗な刺青ね、イタリアでいれたの?」と訊いた。「そうだよ」、あっという間に上階に着く。もう一人の客と降りようとすると、そのハンサム君も降りる。お互い「あれっ、この階なの?」と言った。知らなかった。

で、帰る方向も同じ。「あら」もう一人の男性が最初に部屋に戻り。私たち二人、なんと部屋が隣り合わせ、「そうだったの?」お互い、びっくりした。今まで知らずにいたなんて。では、と言いつつ、ふと思いつき。「あの、私、毎日、歌の練習していますけど、煩くないですか?」本当に質問のつもりで聞いた。「ああ、君なのか」とかなんとか口の中で呟きながら、「あ、いや……」と。つまり、「煩くはない」、をとても短めに表した。

そして、なんと扉を開けてそこに立ちながら「僕の部屋で歌いたかったらどうぞ」

早い！

もちろん、ご遠慮いたしましたが。もし、「はい、では」と言って入ったら、それはオーケーという意味ですか？　だつて、夜もけっこうふけていたもの。

いやあ、びっくりです。

もちろん、これは後から、ちょっとにやにやする思い出ではありますが。

私はもちろん、こんなことばかりしていたわけではない。ここでの体験を記憶にとどめておきたいので、文も書き、やっていないとすぐにダメになってしまうのはわかっていたから、歌の練習もし。一番どうにもならないのが写真だったが、だってまったく外に出られないのだから、それでもホテル内や、ときたま出た外で限られた時間にスナップし、ホテルの窓から空を撮り。また、キューバと日本のコロナの状況はしっかり把握しておきたかったから確認したり、そこそこやることもいっぱいあった。テレビの音楽番組も充実していたし、映画もたくさん観た。

スペイン語の勉強が一番ヤバくて、始めるといつもすぐに眠くなってしまう私だが、ここにいて、驚くほどに話せるようになったのは有り難かった。もちろん、先に書いたように、一番人口の多いイタリア人のほぼ全員がスペイン語を話したからである。彼らと会って、話しているうちに、ただキューバで過ごしているよりもずっと楽にスペイン語が聴けて話せるようになった。

Aburrido

私は、あの階段上にふらふらぁっと上がってきたあのイタリアーノ、かわった酔っぱらいの彼のお陰で、スペイン語の単語をひとつ覚えた。「aburrido」。退屈でたまらん、飽きあきした、という意味。(動詞の原型は、aburrir)

一見、当然でごく普通、その通りだよね、と思える言葉だけれど、この言葉の持つ意味は、遥かに深く、時には病いにさえ思えるものだった。幽閉生活の、他では経験したことのない現象だった。

私たちは、外国人で、外の世界からは守られていて、感染の可能性も少なく、食料は潤沢にあり、味の好みは別にしてだが、しっかりとしたホテルに泊まって、素晴らしい眺め、毎日部屋の掃除もしてもらう。それでなにか不平を言うのは贅沢以外のなにものでもない、というような状態だった。それでも外に出られない生活、というのは、一種、普通ではない状態だった。

外に出たい、でも出られない。その焦燥感は、今まで経験したことのないものだった。決して病いとまではいかない、しかし、なにかそういうものに陥ってしまうのではないか、という不安感はあった。初めての体験で、いよいよ不可思議な気持ちになった。

その解決策の一つが、日本の人と電話で話す、だった。無料でかけられるオンライン電話があって、本当に良かった。この頃に、喜んで私の話に耳を傾け話してくれた人たちには、心から感謝している。その人たちは、全員が日本にいる時に特別親しかったわけでもない人たちもいた。しかし、その後は日本に帰国してからもずっと友達である。コロナ禍も、いろいろな事象を引き起こすのだ。とても感謝しているし、その感謝の気持ちは友情としてずっと心にもっていたい、と思う事柄だ。

もちろん、ここに綴ってきたように、ホテル内にいる多国籍人といろいろに語った。しかし、楽に、なんのストレスもなく母国語を話せること、言いたいことをあまり誤解なく伝えられることがどんなに大切か、この日々、実感もするのだった。ひとつ、付け加えておくと、私のスペイン語学習歴はそんなに長くない。キューバに通ってはいたが、その期間練習するだけでたいしてできなかったし、住んでいた期間も学校には通わずに独学だったために、通常の何倍かかかって習得するコースだ。それ以前の海外で多く使っていたのは英語だったから、これが英語圏だったらまた違っていたかもしれない。しかし、同時に私は使う言語によってキャラクターが変化することも感じていた。英語を使うと、ちょっとストレートな性格になりやすい。言いたいことをズバズバ言ってしまう。スペイン語の方が、どこか甘ったるい。ちょっとリラックスした性格になれる。その両方を使う友人、外国人から遠慮がちに「言葉で性格変わるね」と言われた。私も実感している。スペイン語で話す自分のほうが好きだ。

MUSA

ある日。なぜか二階にあるこのホテルのオフィスで書いてみよう、と思いついた。

初めてオフィスに来て書くことにした。

「なんか、いい感じなのだ。ここに住んでいるクレージーな人の事を書けるか？　どのくらい書

ける か?」なんて、書いている。

圧倒的に多い男たち。全員、「バカ!」とも、この時、書いている。しかしこれは愛情こめた表現だった、と今にして思う。同じ「おバカさん」でも、あらゆる種類があって。可愛いバカは大歓迎だ。可愛いって? それは、もう、もちろん女性に優しい男だ。としたら、ここにいる客人の中では、イタリア人が最高に決まっている。

常に、可愛いね、綺麗だね、最高だよ、君。と言い続けてくれる。そういう意味ではキューバ人と同じだが、ノリは違う。なんだろう? うまくまだ消化して言い表せない。

今、オフィスにいるボスのジャディラとエミリオに訊いてみた。

ジャディラは、そうねえ、ここにいるイタリア人は、閉ざされていて皆ちょっとオカシクなってるかも、って。確かに。きっとイタリアにいる時のほうがずっといいわよ、そうかも。

エミリオが言った、「キューバ人のほうが社交的」。あ、言えてるかも。社会の絆を重んじてるかもねぇ。開けてるってか。ここも、ラテンの国だから、当然、人と人の絆がモノを言う世界だけど、イタリアは、自分たちの繋がりあるものと、そうではないものとの差が激しいのかも。

いかん、こういう一般的なことを書き始めると、なんとなく納得できるけど、つまらん!

やはり、今までしてきたように具体的な人の事を描いてみるしかないだろう。

だが、その前にこのホテル内で私がどんな風に過ごしていたか、も書いておく必要がある。

私は早起きだ。日本にいる時から。この習慣はキューバにいても崩れなかった、有難いことに。

カサにいても、ホテルにいても。高層階の海側の部屋をとっていたので、ここには朝日が昇ってくる。海の手前に広がる市街地が遥かに繋がっている、前章で描いたハバナの街が目の前に開けているのだ。ここはベダード、すぐに隣接するセントロ。そこに至る手前にほんの数日前までいたカサがまるでマッチ箱のようだ。目をこらして探さないとわからない。セントロから続くのは旧市街（アバナ・ビエハ）だが、ここまで離れると街の様子まではとても見えない。しかし、旧市街との境を成すところに建つ、ハバナの象徴の一つであるカピトリオはしっかり見えている。夜になると、ここはライトアップが施される。コロナ禍でうす暗くなった街、消え入りそうに点々と頼りなげな明かりがともるハバナの市街地の中で、懸命に希望の灯をともしている、切ない姿にも見えた。時には、その恰好から「仏舎利」のようにも見え、そんな連想は急いでかき消した。それでも、そんな想いをこの塔の姿に託して、キューバの、世界

淡く消えそうにゆらぐハバナの街の灯の海に浮かぶかのようなカピトリオの光。美しく少し悲しかった。

の人々の、平和と健康の甦りを祈ることもあった。

町の向こうはぐるっと海が取り囲んでいて、海沿いには、かの有名なマレコン通りが走るのも見える。大きくカーブする手前では道幅が広がりまるで広場のように、太陽の光を跳ね返して輝いていることもあった。

海に向かって左手には、ベダードでもう一つの存在を示す、オテル・ナシォナルの双の塔が美しく見える。海を背景にして、夕日を浴びた時間は特に好きだった。何度も同じ写真を撮った。

そんな恵まれた風景が、ここのホテルの大切なサービスの一環のようにさえ見えたが、ずっと見ていると、だんだん、ここで生きている現実感が失せてくる。いつも上から見ているだけ。その地上に降りて歩くこともなければ、巷の人とも話さない。こんな生活がいつまで続くんだろう、そう思わずにはいられなかった。

しかも、この時期、必死で感染を見事に抑えているキューバでもそれなりの感染者は増えていた。毎日、セントロ方面を走る救急車の音は絶えなかった。また誰かが？　そう思わないではいられない。それは普通の事だ。だが、通常とは違うホテル暮らしの中、そういう想いは、あまり健康的な思考に繋がらなかった。私ができるのは、なるべく世界から集まっている人々と交流して、自らの中の正気を保つことだった。それくらい、目に見えない「aburrido」は進んでいた。

ここでの現実は、ホテル内の食事、運動不足を補うためのさまざまな方法。私は23階から、歩いて下まで降りることにしていた。それを知ったイタリアンたちが喜んだ。「へぇ〜！」そのうちの一人は、ある日私が歩いて降り始めると、一諸についてきた。キャッキャ、と言いながら。彼は小柄だし、子供みたいだった。

一階に降りると朝食のレストランに入る前に検温。最初は体温計でびっくりしたが、すぐに非接触になった。カフェに入ると、ラモンが少し微笑んで迎えてくれる。彼に会うと嬉しい。なぜかというと、以前、ここのもう一方の側にあるレストラン、バラコアで歌わせてもらっていた時代、彼はそこのチーフだったのだから。でもここでは一介のウェイターとして働いているのが、少し気の毒にも思える。彼は、私がいつも座ることにしていた、戸外の二人用テーブルを消毒してくれる。これは毎回やることだ。トーストや卵の調理方、コーヒーなのか紅茶なのか。卵にはなにか添えるか……当然、添える！　そんなことを訊いてくれる。このホテルの朝食は7時からなので、私がいつもほぼ一番乗り。そして、さっさと食べて、部屋に戻る。

部屋でなにをするか、と言えばスペイン語の勉強。欠かさずにやっているは歌の練習。たった一人で練習し続けるのは、かなり意志が必要だった。しかも、幽閉状態で外に出る、という体の中に活気のない状態では。しかし、最初の一か月はなんとかやっていた。そして、だんだん、その間が空いてくるようになった。やらないとだめになる。その強迫観念もあったが、さぼっていたいほうが勝つことがあった。私は、自分が健康で心地よく生きることをなにより優先にしたかったから、自分に無理強いするのは止そうと思った。たぶん、正解だっただろう。そんな日は、空だけは存分に開けている、そんな大きな窓扉を開けて外を、空を眺めた。空にはよく大きな黒い鳥が旋回していた。鳶なのか、鷹なのか、スペイン語では「コンドルとはまた違う鳥」と言われてさっぱり正体はわからなかったが、高々と飛び、旋回し、大空を行く醍醐味を十分すぎるほどに見せてくれる鳥だった。

私は彼らを見て、そして、撮って、話しかけるのが好きだった。彼らにも私は見えていたのかもしれない。ツーと滑るようにやってきた一羽に、大きく両手を広げてぱたぱたすると、同じように返してくれたりした。気のせいだったかもしれない。

また、私が歌っていると、まるでそのフレーズに乗っているように気持ちよさげに滑り、飛んだ。これも気のせいかもしれないけど。孤独に練習する私は、彼らが見て、聴いて、楽しんでくれている勝手な想像で気持ちを紛らわせた。

もう歌う気になれない、ある日。外を眺めていると、いつもの鳥たちが飛んでいる。なぜか、問いかけているような気がする。「今日は、もう練習しないの?」そんなふうに訊いてくれている気がして、嬉しくなったりしたものだ。けっして触れ合うことのない、大空の大きな鳥たち。もちろん、この腕に止まったりすることもない。それでも、不思議な心の波、シンパシーでつながっているような気になった。

こういう心の紛らわし、がaburridoの病いをなんとか防ぎとめてくれているのだった。

今、オフィスで書き終えて、う〜ん、と伸びをしたらエリックに「La Musa」は来ているか、と聞かれた。「ムサ?」。

「というのはね。簡単に言うとインスピレーション」でも、もともと教会で使われていた言葉だ、というから、何系の言葉かわからない。なんとなくイスラムの響きがある気がする。

Te vine la MUSA

これはスペイン語。あなたには、今、Musaが来た、という意味になる。

この部屋にいる、女性ボスのジャディラと部下の男性エリック。彼らは「敏感なキューバ人」を絵に描いたような人たちだ。ホテル、しかも、ハバナの中でも重要なこのホテルで働いているから、優秀に違いない。今日、ここで書いてみよう、とこの部屋に入ってきたらジャディラがなにも言わず「ようこそ」という顔で私を見て、エリックに言った。「ほら、マリコに椅子を持ってきてあげなさい」

ホテルのマネジャー、ジャディラ

私が小脇にパソコンをもって入ってきただけで、すべてを察知した。素晴らしい。誰も使っていないテーブルの反対側に、すばやく椅子を設置してくれるエリック。両方ともとってもいいのだ。二人とも、絶対に私の邪魔をしないけど、私が書く手を止めて、少しぼぉっとしながらつけっぱなしのテレビを眺めたりすると、ほんの少し適当なおしゃべりに付き合ってくれたりする。テレビではよく、「ネイチャーもの」をやっている。海中の生物など。ナショナル・ジオグラフィックの番組だったりする。そう、入るのです。ウニを見て、これは何？　と訊くとスペイン語で教えてくれる。あとはカニだとか、サメだとか。適当に休んで、また書くことに私が戻ると、もう決して邪魔しない。素晴らしい「同室パートナー」だ。

この二人とは、その後、もっと仲良くなったし、後に、わりと笑える、そして忘れがたい話題提供者にもなるのだった。

もう一人のマイケル

大きなドイツ人のマイケルについてはさんざん書いた。もう一人のマイケルは、私がホテルに到着した時「ウェルカム！」と大きな声で言ってくれて、文字通り「ウェルカム・ドリンク」も出してくれた、あのマイケルである。ずいぶんとお世話になった。しかし、彼も相当変わり者だった。

カサがなかなか返してくれない、余剰の家賃を取り戻してくれたし、また3Dプリンターについてだとか、キューバ政府に私が「コロナ対策に意見を送りたい」という時の宛先探しだとか、やはり、どちらかというと「大変な」お願いも多かったから、忙しいマイケルにはご苦労をかけてしまった。そんな彼の体格のことを言うなんて、失礼ではあるけれど、もしかしたらそれは彼の性格形成にも関係あるかもしれないので、言ってしまおう。ものすごく小柄なのだ。一方がでかすぎるほどに大きく、こちらは、とても小っちゃかった。私が一緒に並んで歩くと、彼の頭の上部が見えるほどだった。

それでも、というよりは、それだから、かもしれないが、彼の声は極端に大きかった。尋常ではない大きさだ。

ある夜、例の家賃奪回作戦について話し終わってロビーに戻ろうとした時、彼はその時にしなければならない別の仕事を突如、始めた。

確か、アルゼンチンだったか。その夜遅く出発する飛行機の便に乗りたい人は集まるように、という内容のことを広々としたあのリブレの一階の大きなロビーいっぱいに響き渡る声でアナウンスし始めたのだ。しかも、ノー・マイク。うそでしょ、というほどの声の大きさ。「はい、今晩アルゼンチンに帰る人、今日の便に乗る人は今すぐロビーに集まって」……拡声器でもついていないと出ない声。心底びっくりした。あの小さい体格で、だ。なので、あえてそのことにも触れた。まるで、割れ鐘のごとく響き渡る。一諸にいて恥ずかしくなるほどだった。いやあ、自らが小さめにできてしまったことを取り返しでもするかのように。しかし、ここまで極端にしなくてもいいだろうに。そんなことも思った。

同じ夜だったのか、どうか。もう記憶が定かではなくなってしまったが、またしてもあのロビーを一緒に歩いている時、かなり遅い時間だった。私が歌を歌っている、しかも、すぐそこに見えているレストラン「バラコア」で歌っていたことを知ると、「ええっ、そうなのか！」と嬉しそうに言って、仕事が終わった解放感も手伝ってか、突然歌い始めた。あの割れ鐘の声で。「ベインテ・アニョス」20年という意味の、有名な歌だ。いい歌なので、嬉しくなりつい、私も歌った。彼の声にかき消されないように、一生懸命声を出して。彼はすっかりご機嫌で、歌い終わった瞬間、ハイタッチしてきた。「あっ！」掌はマズいでしょ、と思ったけど後の祭り。マイケルはなぜか呆然としたような顔で私を見た。気まずかった。

彼のちょっとした変人ぶりは、最初それほどに気にならなかったが。それでもこのロビーにあるピアノで、時々ある一曲だけを弾くのは、なんだか変だった。もうなにかに怒っているように、叩きつけるような弾き方。あえて誰も見ない。皆、以前にもそれを見て知っているから、あえて知らんぷりなのか。直感的に「触れない」方が良い、と思ったのか。ちょうどプールサイドの横のバーから出てきた私だけが、二階からびっくりしながら彼を見下ろしていた。それからまだ2〜3回は、そんな彼の姿を見た。しかも、曲はいつも途中まで。

おお、マイケル。ずいぶん世話になったのに、こんな言い方、本当に悪い。しかし、彼は、ある日突然ホテルを辞やめてしまった。「どうしたの?」尋ねる私に、答えたのはエリック。「彼は、変だったからさ」「えええっ、そうなの?」「うん、皆、そう思ってたよ」

おお、マイケル、ありがとう。今は、時々、Fbで「プー(というベトナム人の女性)と君がキューバにいなくて寂しいよ」というようなメールをくれたりする。ありがとう。しかし、ここでも彼は、「少し」変わっている。人の付き合い方や、順番をけっこう気にするキューバの人は、誰かと誰かを並列するときは、必ず目の前の相手を尊重する。つまり「あなた」が先なのだ。でも「プー」が先になっちゃう彼は、やはり、ちょっと変わってるわ、と思う。そして、それがマイケルなんだ、とも思う。

エレベーターの中、男同士

別に、エレベーターの中で男同士が乗っていた、という話ではない。それでも構わないが。

ある日、それまで見かけなかった若い男の子と乗り合わせた。私もそこそこ、このホテルの滞在も長くなっていたから、いる人の顔はだいたい知っている。そして、初めて会った人とは、挨拶がてら、なんらか言葉を交わす。たいてい「どこから来たの？」という当たり障りのない会話だ。しかし、彼はキューバ人なのだ、と答えた。

「えっ、何故、キューバの人がこのホテルに泊まっているの」。ほんのたまぁに、キューバの人もいるけれど、それは海外に住んでいて、もうキューバ国内では「外国人」と同じ立場にたってしまう人に限られていた。以前、私に「LA PALOMA」の曲を懐かしがって歌って、と頼んだ彼のように。もしくは、外国人と結婚していて、キューバへ里帰り中に、ロックダウンに会ってしまったファミリーの一員である、キューバ人など。

しかし、この男の子の答えはこうだった。「外国人の友達が背骨を痛めてしまって」と言いながら、自分の背中を触る仕草をした。「彼はまったく動けなくて一人でなにもできないから、僕が世話係りとして、一緒に泊まっているの。特別扱いなんだよ」

「そうなのね」と言いつつ、もうエレベーターは一階に到着。彼もこれからレストランに食事を二人分もらいに行く、というのでロビーを一緒に横切りながら、さらに話しつづけた。

「その人は、一人旅だったの？」と言うと、彼、「あ、僕たち、実はカップルなの」「ああ、そうなんだ！」

軽く、驚きはしたが、私は幸い「同性同士の愛」に関しては、さっぱりと偏見は無くなっていた。これは世界の変化のお陰だ。それは後で書くとして。

この時に、本当にびっくりしたのは、そういう話をエレベーターで会ったばかりの人にナチュラルにさらっと喋ってしまう、彼の在り方の方だった。

これはキューバ人の特徴でもあると思う。自分の内側を他の人に知られるまでは時間のかかる日本人とは対照的、と言っていいと思う。もちろん、個人差はあるけれど、一般的キューバ人は、自分のプライバシーも、気持ちの内側もさっさと人に見せてしまって別になにも都合が悪く感じない人たちなのだ。つまり、平たく言えば、開けっぴろげ。人と人の距離が近い。それがたとえ、見ず知らずの人であっても。よく、言われることに「海外で暮らし始めたキューバ人の多くが悩むのが、人との関係。寂しいのだ」と。わかる。あんなに初対面でも親しげに近寄って話す人々が、突然、外国でしかも知らない人ばかりの中に放り込まれたら、さぞかし寂しいだろう、と。私も、ある程度の長さ、キューバにいて日本に帰ると寂しいもの。別に日本を否定したいなどと思っているわけではないが、「決して人をほったらかしにしない」彼らになれていると、なんとも、人との距離感に風がひゅーひゅー吹く感じがするのだ。

また、頼まれごとしかり。キューバの人たちだって、自分の出来ることと、出来ないことはある。しかし、できることなら、それこそできるだけ役に立ってあげよう、というのが普通だ。「勝手にしたら?」とか、「そんなこと頼まれるほど親しくない」などという態度からは遠い。もちろん、皆無ではないだろう。だが、基本的に「親しい」が日常になっていることは確かである。こんなエピソードを書いているのを読んだこともある。どこだったか忘れたので、「どなたが書いていたか」ここにお断りできないのが申し訳ないのだが。

「ある時、銀行で長く待たされていた時、すぐ近くにいた女性二人が話し始めた。最近ね、ウチの旦那がさっぱり、しなくなっちゃったのよ。いったいどうしたらいいのかしら？　という内容で、女性同士のいわゆるガールズトークの一種。しかも、かなり突っ込んだ内容だ。それを横で盗み聞くわけではないのに、聞こえてくるので聴いていたその人。後から二人がもともとの知り合いではなくて、今日、この場でちょうど待ち時間に隣り合わせただけの関係だった、と知り驚いた」というのだ。それも、わかる。近いのです、皆。

そんなわけで、この初めて会った男の子。ちょっと小柄で優しげな感じのする子だったから、そういわれれば可能性あるわねぇ、という感じ。マッチョのタイプではないほう。

ところで、その頃ちょうどキューバでは「憲法改定」の終わった頃で、その改定の中には「同性同士の結婚を認めるかどうか」も盛り込まれていた。その時の結果は「認める」ことにはならなかったのだが。その話題を持ち出すと、彼

「そうなんだよ。ほんの僅差で可決されなかったんだ。惜しかったなぁ」

と残念そうに言った。「本当ね、この次の改定では変わるといいね」

そんなことを言って、別れた。

その後も彼には時々どこかで会い、そうすると嬉しそうににこにこしていてくれたが、わりとすぐに出ていくことになった。

「そうなの。で、あなたは？　キューバ、それとも彼と一緒にその国へ行くの？」

彼はちょっと寂し気に俯いて首を振った。そうか、結婚を認められるかどうか、は「彼」と一

緒に海外に出ることを認められるかどうか、にもかかってくることだったのか。結婚相手の国に行けるビザが出るかどうか、に関わってくるから。そう思うと、その「否決」はこの男の子にとってものすごく大きなことだったに違いない。

後から思ったのだけれど。彼にとっては短いけれど一緒にホテルで過ごした「介護生活」は、大変だったかもしれないが、ある意味甘い生活でもあったかもしれない。そして、間もなく去ってしまう彼。彼はまたキューバに戻ってくるのだろうか。

悲喜こもごものドラマが展開するホテルの中だった。*1

＊1　2022年9月25日、キューバは同性婚を承認。なんとこの本の校正中だった。金銭のやりとりの発生しない代理人出産も認められた。新家族法である。

キューバ映画「苺とチョコレート」

ホテル内の変わった人々の話からは少し逸れてしまうが、キューバは映画大国である。面白く素晴らしい映画をたくさん観たし、日本でも「キューバ映画祭」があるし、またキューバは「ラテンアメリカ映画祭」を開催するような国である。「苺とチョコレート」は、そんなキューバの映画の一つ。瑞々しい感性に貫かれた、巨匠トマス・グティエレス・アレア監督、そしてファン・カルロス・タビオの共同監督作品である。トマス監督の遺作となった。1993年作。

名優ホルヘ・ペルゴリア、ウラジミール・クルスの二人の主演と言っていいだろう。この二人は、ちょうど今、私のいる、ベダードのホテル、ハバナ・リブレの前の交差点を渡った筋向かいにあるアイスクリーム屋、コッペリアで出会う。苺とチョコレートのアイスクリームは、ゲイを意味する。ホルヘ演じるディエゴは、ウラジミール演じるデイビッドに強く惹かれる。最初は拒否感いっぱいのデイビッドだが、やがてホルへのアーティストとしての才能、そしてまじめな生きざまに目を開かれて行き「そういう関係」ではないにしても、男二人の強い友情を築いていく。そうだ、ホルへの部屋の内に飾られていたのは、あのサンテリーアの神々でもあったはず。この映画が作られたころは、まだ一般的な市民権は得ていなかった頃だと記憶している。

そして、最後にはディエゴはキューバから去り、亡命してしまうストーリーである。しかし、その結末に漂うのは、意識の変わったデイビッドと、人生の先輩格であるディエゴ二人の間に流れる信頼と愛情がなんとも爽やかな余韻を残す。キューバで正面切って「同性同士の愛」をテーマにした最初の映画だったのではないか、と思う。

1993年作といえば、まだ「同性」に対する愛はキューバ国内でさほどポピュラーではなかったはず。女性もばりばり元気であるが、男性は、自らを「男だ」と主張する、いわばマッチョな特徴も強いラテンの国々の一つである。それが、この映画の美しさと瑞々しさによって、一作の力でも大きく塗り替えられたのではないか、と思う。それから27年後の2020年の憲法改定時期に、「同性同士の婚姻」が議論されるだけでもそれなりの進歩だったと言えるだろう。

また、サンテリーアに関してもしかり。1991年のソ連崩壊にともなって、「規制を緩める必要のあった」キューバが実行した緩和の一つが宗教だった。それまでも「禁止」はされていなかったが、そんなにいいものではないんだよねぇ〜、という空気。共産党員ならば、宗教をもっていると絶対に幹部にはなれなかった、とも聞く。それが、2年後に封切られた映画の中で、サンテリーアがすでに描かれているというのは、それもやはり画期的なメッセージだったに違いない。*2

私が取材させていただいた、「ブエナ・ビスタ・ソシアル・クラブ、以下BVSC」のメンバーに会っている時も、その大多数がサンテリーアの信者だったが、誰もおおっぴらに神様のネックレスを見せてかけている人はいなかった。私は、ルーツであるナイジェリアのヨルバで得たオルンミラ神のものをつけていたため「おお、それは神様だね、僕もだよ」と、シャツの中から取り出して見せてくれた。それは2000年当時の事だから、「緩和」から9年目の事である。それが、今、2020年では、じゃらじゃらと皆が表にかけて、嬉しそうに闊歩している。そう、それ以降、何度もキューバに戻ってはいたが、2015年頃に感じた変化の大きさが印象的だった記憶がある。世の中は変化する。それが嬉しい変化なら、その変化は人々の幸せと共にある。サンテリーアであっても、同性との愛であっても。

*2 公には、1992年の憲法改正で「禁止はしていないが、無神論的性格を持っていた条文」が削除され、「宗教の自由と、政教分離の条項」が追加された。

7 イタリアに帰れないおじさんとアラビア語の人たち

そんなに話していないにもかかわらず、印象に残っている人がいる。

このホテルの内の人口では、イタリア人がダントツに多かったわけだから、私が話す相手も圧倒的にイタリアの人が多かった。ある日、プールサイド付きのバーでのんびりカードをやっているグループを軽く冷やかしていた時の事。彼らは、何回カードをやったらやめる、と決めていたようで、しばらくしたら「今日はお開き」となった。私もすることがなくなって、ふとぼんやり戸外のプールを眺めたとき、すぅっと近くに寄ってきた人がいた。それがあのイタリアのおじさん。人の体型の事を言うなんて失礼だし、あんまりするべきことではないと、思っているのだけれど、それでも彼はかなり特徴的なほどに小柄だった。もう一つの特徴はいつも赤い木綿で出来た小さなキャップを被っていたこと。今思えばどうしてなんだろう？　別に室内だから、いつも帽子をかぶる必要はなかったはずなんだけど。

とにかく、そのおじさんは私に話しかけてきた。

「イタリアに帰れなくて、困ってるんだよ」

「そうなのね」

気の毒に。帰りたいのになかなか帰れないのね。しかし、そこまではけっして珍しいことでもなんでもなかった。ここで、彼の話に入る前に説明をしておかなければならない。

この時期は、なにもかもが混乱していて、航空便のチケットの混乱も激しく、まったく対策もされておらず、海外にいて帰国したい人にとっては地獄の状態だった。

私自身、例の「チョコラーテ」とからかわれたあの日のチケットはまったく無駄になってしまい。ハバナからメキシコのカンクンの往復だったから価格はそれほどでもなかったが、それでも通常より高いものを買っていたのでそこそこの損失を被った。ハバナで買ったチケットは、買った後の帰り際に「払い戻しはなしなのよ」と言われて、軽くドキッとしたが、その時はまだ国が閉まるとは思っていなかった。そう言えば、隣のカウンターの人がかすかに心配げに私の事をチラ、とみた視線が気になった。あちらさんはたぶん、ほぼわかっていたと思う。

そして、日本でネット上で買ったハバナからカンクンのチケットはいかにも良心的に「便が欠航した場合はチケットをキャンセルする旨を知らせてくれ」とメールが来たのだが、メールしようが、日本にいる兄に連絡して電話してもらおうが、まったく返信はなかった。かなり想像の内だったので、それはしょうがない、とは思いつつ、一応知り合いの旅行代理店に問い合わせてみた。「こういう場合、うまくチケットの払い戻しを受ける方法はあるのかしら?」

その答えはかなり衝撃的だった。「今のこの時代、どこもかしこも混乱していて、たとえちゃんとした旅行会社で買ったとしても払い戻しはほぼない。代理店もそれができない。サイトで買ったら、払い戻しは皆無に等しい」そんな状態だというのだ。「そんなあ!」と思ったが、信頼できる人だったし、別に私はそこから買ったわけではなんでもなく、損得の関係はまったくなかったから、「これは大変なことになった」とすぐに分かった。

なにしろ、このホテル内にいる人たちは、だいたいがヨーロッパからなので、帰国するには一回便に乗ればいいだけなのだけど、私は乗り継ぎだからチケットゲットはさらに難しい。

ある時期、物凄い数のアルゼンチンの人たちが滞在していたが、しばらく後に、アルゼンチン政府の仕立てた特別便にどっさり乗って帰っていった。だが、そうではない人たちは、のんびりとプールサイドで過ごしているようには見えても、一方ではかなり必死で帰りの便の検索をしていた。「危ないんだけど」と思いながら、特別相談されるわけでもなく、全員旅慣れた御仁たちである。「どうなるのかなぁ」と私だって確信が持てないままに、見ていたのだが。

ある日、例のあのドイツ人のマイケル。もうさほど親しくは会ってはいなかったが、時折プールサイドで顔をあわせる彼が「やった！　チケットが取れたぞ」と言うので、「旅のサイトでとったの？」と訊くと、そうだ、と。たいしてお金を持っていない彼は、絶対に安いサイトを探して買ったにちがいない、と思った。「ああ、やられてる」。そういうサイトのものであれ、そうではない代理店のものであれ、この時期のはほぼ皆キャンセルされて、そして、全部が全部、代金が戻ってこないチケットだった。一応、それは伝えてあげた。それ危険だよ、飛ばないかもしれないし、その場合もチケット代返ってこないからね。

彼は、半信半疑の顔で私を見た。しかし、後に「三度キャンセルの浮き目にあって、戻ってこない」と泣き顔だった。

「私、忠告したわよ」

そんな具合なので、他の人たちもほぼ同様だった。私は、ハバナからカンクンのチケットで痛い目に遭っている。また、他の人たちは、ヨーロッパへ、もしくは同じ中南米に帰るため、だいたい一回乗れば良いのだが、私は……、まずヨーロッパかどこかへ行き、そこからもう一度「飛ぶ便に乗れる幸運」がなければ帰れない。めったなことでは買う気持ちにはなれなかった。なので、皆さまのチケット探索熱からは一歩離れて見ていたのだが……。

さて、あの赤い帽子のおじさん。この人も三回もチケットがキャンセルになってしまったらしい。

「三回分で、お金を使い果たしてしまって、もう次のチケットが買えないんだ！」

半べそかくような顔。まあ、気の毒、どうしたらいいんだろう？　ハバナからイタリアは、さほど高くはないことを知っていた。実を言うと、今回の旅では、当初ハバナからイタリアへ「飛ぶ」予定だった。憧れのイタリア。シシリア島へは行ったことはあったが、そして、その美しさに魅了されたものだが、長靴の半島側は知らない、行ってみたいと思っていた。しかし、パンデミックですべておじゃん。

この気の毒なおじさんの様子を見て、なんとかしてあげたいと思った。あと一歩で「私が出そうか」、と言いそうになった。私だってそんなに豊かなわけではないけれど、キューバにいながら日本の新聞社とも仕事ができていたので、無収入というわけではなかった。

しかし、その言葉はなんとかごっくんした。この方の家族だっているかもしれないんだし。続く彼の言葉。「家族は弟がいるんだが、うまく連絡がつかないんだ」

私は、はっと思い当たった「じゃ、大使館に相談したら？」

この時、すでに彼は相談済みだったらしい「したんだけど、出してくれない、難しいみたいなんだ」。イタリアも今は感染爆発で、すごいことになっている時期だった。困ったね、なんとかうまくいくことを祈ってるわ——。

結局、一か月だったか、二か月後だったか、彼は大使館経由で弟さんからのお金を受け取り、そして、「特別仕立てのイタリアン専用、本当に飛ぶ便」に乗って帰国していった。良かったね。

私たちがホテル幽閉状態になった直後はなにもかもが、初めてのことで皆が混乱し、どうにもならなかった。しかし、後半になると大使館も動き、イタリア行きの便は大使館から連絡が入って希望者はホテルに出向してくる代理店から「イタリア人のみ乗れる特別便」を購入して帰国できるようになって来た。

同様の方法で、以前、大量の特別便で帰国したのはアルゼンチンの人たち。しかし、幽閉が始まって間もなくの頃、取り残されていたスペイン人のグループがいた。意外に少なかったが、街の中にはもっといる、とも聞いた、彼らはじりじりと焦って煮えたぎり、大使館に直談判していた。それでもどうにもならないと、ついにスペインの新聞に、今の自分たちの状況を書いてもらい、世論に問うて、特別便の手配をしてもらい、やっと成功を収めて旅立っていった。彼らは、「帰らなかった人」ではなく「帰れなかった人たち」なのである。

私は？　と言えば。帰るつもりはほとんどなかった。キューバでの幽閉状態が開けるのを待っていたのである。キューバで感染が始まってからの、キューバ政府の対応は素晴らしかった。それについては、後に記す。きっとそんなに時間がかからずロックダウンは解除され、また自由に外に出れる日が来る、と思っていた。また、外で歌える機会が欲しい。そんな気持ちもあったから、ゆっくりと構えていた。しかし、その夢は、あっというまにかき消され、夏が来たのだったが……。

話を急ぎ過ぎた。もう一度、彼らの姿に戻ろう。

そうやって、何か月もかけて、少しずつまとまって帰る人々が出てきて、その都度、私は見送り続けた。そのたびにすごく寂しかった。自分は帰るつもりはないくせに、「ああいいなぁ、帰っちゃうんだ」と言っていた。帰る日の彼らは、やはりものすごく嬉しそうだった。「あの感染が爆発しているイタリアに帰るのがそんなにいいのかなあ」とは思ったけど、口には出さなかった。家族に会いたい、自分の家で寛ぎたい。それが望みでもあっただろう。

しかし、ホテル内にいるうちに、なんとなく、イタリア人が二つに分かれていることが分かった。帰りたいグループと、帰らなくていいグループ。そう、私の仲間みたいな、後者組がいたのだ。なぜかと言えば、彼らのほとんどは、キューバに「彼女」がいたから。早く自由になって、そこへ行きたいのである。

そんな彼らが、殺気立って、ロビーに駆けつける瞬間があった。

それは、イミグレーションの男が、ここのホテルにやってくる時。

彼らは、ホテルを出たいわけなのである。その許可の鍵を握るのが彼。どうしてそんなにまだるっこい方法をとるのかはよくわからない。私はこれに関しても見物人であった。しかし、全員が広いロビーのあちこちに屯して、自分がイミグレの男と話せる瞬間をじりじり待っている様子を眺めるのは、ある種の静かなる壮観でもあった。それぞれが抱えた必死さ。

最初のうちは、このホテル内の人々の様子も、一つの混沌のように見えていたが、しばらくいるうちにその様子も様変わりしてきたのか、ある種の安定を見せるようになった。先に記したように、帰りたくて帰れない人、どちらでもないけど、とりあえず様子を見ている人、別に帰りたくないからキューバにいたい人たち、それぞれがなんとなくグループを形成し始めていた。

また、もう一つのグループの要因は、「言葉」。これは当然だろう。コミュニケーションが成り立たなければ、グループになりにくい。

こんな人たちの間で、ひと際異彩を放つグループがいたことをある夜、発見した。した、と過去形で言うのは、ずっとその存在を知らなかったからだ。それは、モロッコから来た人たち。

マロカン〔モロッコ人〕のラマダン

私はいろいろな理由から、時々部屋を交換していた。私に限らず他の人たちも同様だったが。理由はエアコンが壊れたり、さまざま。ある時、それまでは別階だったところから20階に移動した。ここの階の良さは、ちょうどエレベーターを降りたこの階の真ん中あたりに、広々とした風の通り抜けるロビーがあることだった。例の私がゲリラ・ミニ・ライブを開いて歌ったところだ。

ある夜、眠る前の「館内散歩」に出かけた私は、見なれぬ人たちの小グループが、このロビーにいるのに会った。食事中。「あら、いいですね、ロビーでお食事。お邪魔じゃないですか？」

「もちろん、どうぞ、どうぞ」。彼らはモロッコから来た人たち。モロッコらしい料理が並んでいて、びっくりした。

「ええええっ、ここで作ってる？」

「いいえ、大使館が差し入れしてくれます」。なんと羨ましい……別に私は在キューバの日本大使館の事を言いたいわけではない。しかしここまでやってくれるって、良いですねぇ。

何故かと言えば、彼らはラマダン中だった。なので、決められた時間以外は食事がとれない。夜明けに一食したら、あとは日没以降の、この割と遅い時間帯じゃないと食べれないし、食べ

「ラマダン明けの日」のモロッコの人たち。歌って踊って盛り上った。

物の好みもかなり違っただろう。イスラムの人たちだから、豚は食べれないし、ホテル内のレストランでは、時間外にあたり、不自由するわけだった。

彼らはいかにもモスレムの人たちらしく、すぐに私にも食事を勧めてくれた。だいたい、この地域の人たちは、人をもてなすのが生きる道、みたいだから、いつもそんな風だ。棗だとか、フルーツの甘く煮たのなどもあって、ちょっと心そそられたから少しだけいただいた。

彼らの構成は、ちょっと年配の男女が一組。そして、若い男女が一組。家族なんだろうか、と思ったら違っていた。「僕たちは兄と妹」と年配の男性が説明した。「そして、彼らは、まったく別々に旅していて、ここのホテルで会った」

そうなの？　じゃ、この若い二人はカップルなんだろうか、と思ったがその場では訊きそびれた。

若い男性の方は、ビデオカメラを持っていて、「ここのホテルにいる人たちのワン・コメントを集めているんだ、君も一言なにか言って」と言われて、私もビデオカメラに収まった。どこで見られるのかなあ？　ネットに上がったみたいだけど、観たことはなかった。

私は彼ら4人と「ラマダンの日」とタイトルでも付けられそうな記念写真を撮らせてもらって

遊んだ。ある夜、日付を知らずにいた私にとっては偶然だったが、「ラマダン明け」の日に会った。「わあ、おめでとうございます！」。私は、ラマダンとラマダン明けに関しては、アフリカで経験している。彼らは、盛大にお祭りをするのである。盛大にしたくても、彼らは4人だけだったが。

大きな窓を開け放った、ハバナの夜景の明かりの見える外に向かって、嬉しそうに歌い、そのうち、手拍子をとって踊り始めた。なかなかのリズムである。いつもちょっとおとなしかった、年配の女性のほうも、この日はちょっとタガが外れたみたいに盛り上がっていて、可愛かった。映画「ガッジョ・ディーロ」のラストのトランスシーンを思い出して、ちょっと胸が熱くなった。年配の二人も、若い二人も、楽しそうだった。

と、ここまでなら、マロカンの人たちと出会った、幸せな一コマの記憶、となるのだが、そうは問屋が卸さなかった。私とは直接には関係なかったのだが、少し近めの目撃者になってしまった。

マロカン青年の失恋

この頃、ここに住む人たちのメンバーは、固定の圧倒的多数のイタリアンの他には多国籍の人々が集っていた。モロッコの人たちは、ラマダンの間はあまり出歩いていなかったが、終わるとそこいらでずいぶん会うようになった。また、ある程度の入れ替わり立ち代わりの中で、彼ら以外にも、イスラム圏の人たちもいるようになった。彼らは、国籍は違ってもアラビア語を話すので、意志疎通ができる。おのずと近しくなったようだった。

ある夜。その頃は、皆がホテル生活にも慣れて、それぞれが自分のペースをもって暮らし、運動不足解消のために、広々としたプールサイドの周りをぐるぐると歩いて回る人たちも、そこそこいた。時には私も、そのぐるぐるの仲間に加わって一緒に歩いたりした。逆方向に回ったりしながら、反対側で会うと、軽くハイタッチの真似も。そんな平和な空気に満ちた場所で、ふいに酒盛りしている二人に呼び止められた。

一人は、あの20階で出会った、マロカン。あと一人は、比較的最近ここにやってきたアルジェリアンだった。「どう？　僕たちと一緒に飲まない？」あら、いいのかしら？　イスラムの方たちの飲酒は？　というのは口にせず。というのもアフリカでは「旅している時なら、そういう掟も緩やかになる」なんて聞いたこともあったし。部外者の私がなにかいうことでもなかった。しかも、私はほぼ「飲まない」。なので一緒飲みは、「飲まないのでいらないわ」とやんわりお断りしながら、一応立ち止まった。と、アルジェリアンの彼が突然切り出した。「ねえ、僕の写真を撮ってくれない？」え、またか、と思った。この日までに何人かの人が、私の写真家という仕事と、大きなカメラにも興味を抱いて「写真撮って」の要望があった。もちろん、だからと言って撮影料をいただくわけではないし、撮ったもののデータを加工して渡す、という作業もそこそこ時間をとることを彼らはあまりわかっていない。なので、簡単に頼んでくる。ものすごく撮りたい相手ならいざ知らず……、というのが正直なところだ。また、この同じホテルで幽閉状態でいる人たちを写す、というのは面白いテーマにはなるし、実際何人かの人はそういう視線で撮影もしたが、それはあくまで自然体の「ある日」的な撮り方であって。つまり、この彼からの要望はあまり気が向く話しではなかった。

　また、ここの生活はたっぷり時間があって暇な割に、何故か「疲れる」ものでもあった。それはたぶん、外に出れない日々の疲れなんだと思う。

　これについては詳しく話すと長くなるが、簡単に言えば「無気力と戦わねばならない日々」に陥る人も少なからずいたし。実はこの私もその一員だった。

　物凄くやりたい事以外は、さぼっていたい。それが本音。なので、あまりやりたくない、疲れるから、とお断わりした。しかし、彼はわりと強引だった。

「僕と一緒にどういうふうに撮る、という相談をして撮ったら面白いんじゃない？」

「でも私、プロの写真家だけどギャラをいただくわけでもないし、あまり気が向かないのよ」

「じゃ、僕が君を撮ってあげるよ、それでお相子だろ？」

　やれやれ、なんで私が、ほぼ今会ったばかりのこの男に撮られたいわけ？　しかも相手はど素人。ぜんぜんわかっていない。

「ん、ごめん、気が向かないから、ごめんね」

　そう言って去った。別に私は悪くない。申し出をちゃんと話して断っただけ。なのに、この男はその後、私を見ると「ぷい」とするようになった。

「どうでもいいけどね」。と思いつつ、「あんまり感じよくないよね」とは、思っていた。

　それからほど遠くないある日、またプールサイドの夜。夜も遅めのため、人影はちらほらとまばらだった。と、この階のレストランの真ん前、以前、私がカードゲームをしてよく盛り上がっていた、あのあたりのテーブルに、マロカンの男、二人。つまり年配と、若い人の二人が座って、なにやら、ぐいぐいという感じで話し込んでいた。あまり近寄らない方がよいな、とは思ったけど、通りすがり。

若い方の彼が、かなり酔っぱらって、半分泣いている。年配の男性は聞き役なのだろう。少々困り顔ではあるが、ほっとくわけにもいかない、若い友人の相手をしてあげている。「何事？」と思いつつも、「出る幕」ではないので、そぉっと通り過ぎた。

その理由は、その直後に分かった。あのアルジェリアンが、マロカンの若い方の女性と「できちゃった」のだ。つまり、マロカンの彼は、あの女性が好きだったのだろう。どちらが感じがいいか、と言えば私の目から見たらマロカンの彼の方だった。ちょっと真面目そうで、人の事を思いやりそうなおとなしめの彼。

一方、アルジェリアンの男は先日の夜の様子からしても、強引で、自信たっぷり。傍目に見て軍配が上がる方には恋をしないのが女心、である。私の目から見たら「別に被写体にしなくてもいい」感じの人だったが、よく見ると大振りの顔づくりで、派手な印象でもあった。アルジェリアとモロッコ。この国籍の違う二人の恋の行方は、また後に話す事にしよう。

つまりは、あの私を呼び止めた夜は、アルジェリアンにとって「下準備の夜」だった、と私は踏んでいる。自分が目を付けた女性と同国のモロッコ人の、彼女とある程度親しい時間を過ごしてきた、ちょっと人のよさそうな若い男。彼と飲んで親しくなり、「悪いけど、まだできていない二人なら、いただいていくね」という準備。で、それはモロ、成功してしまった。皆さま、なかなかにやりますわね。自分のしたいことを、したいようにして自分の道を開いていく。それが誰かを傷つけても、道は自分のものにしなければ歩めない。良いかどうかは、置いといてだが、私は自分の身勝手のために人を傷つけるのは好きにはなれない質なので、単になるほどねぇ、と眺めているだけだったが。少し安っぽい言葉を使わせていただければ、やはりなかなかに肉食系の人々であるのだった。

8　男って、まったく！　ゲームの夜と男たち——なんと私に突然の結婚話！

私のチェス・ゲーム・イン・ハバナ・リブレ

多国籍人の中で、途中からかなりの人口で乗り込んできた人たちの中に、インド人のグループがいた。乗り込んで、と言っても彼らはどこか別のホテルか何処かにいただけなのだが。そこが閉鎖されることになると、こうしてこのホテルに移動してくるわけだ。

最初から、彼らはかなりな悩みの種っぽかった。インドに行ったことがあるから知っている。彼らの喧しさ！　別に悪いわけではない、文化の違いなんだから。しかし、傍若無人に騒ぎ立てるのはやめてほしい。そしてなんと、彼らのうちの何人かが、私の部屋の周囲をぐるりと取り囲んだ。隣の部屋に比較的、重要人物がいるらしく、物凄い頻度で同国人が訪ねてくる。その扉の叩き方がまた凄い音なのだ。その都度、私の部屋なのか？　と確認しなければならないほど。すぐに決意はついた。「部屋変えてもらう」

これはほぼすぐにできた。フロントへ行き、なにも理由をいわず「部屋を変えてください」と言うと、とっても優しいエミリオが、なにも訊かず黙って「わかった」と頷いたのが可笑しかった。彼らの目立ち方は尋常ではなかった。こう思っているのは、私だけではなく、同じ階のイタリア人が「もう少し静かに扉をノックしてくれないか」と抗議していた。そして、それに反発したインド人たちとの間で、激しい言い合いになった。「わかってないね、無理だってば」。逃げるが勝ち。

また、国籍はあえて言わないが、同じアジアンの某女性は、こう呟いた「嫌い……」。笑える、わかるけどね。でもそんなに国籍だけで嫌っては……とも思ったけど。困る点はまだあって、エレベーターの中で痰は吐く、このコロナの時代にですよ、鼻汁か何かは壁に擦り付ける、たばこの吸い殻――彼らは実によく煙草を吸った――をその辺りに捨てる……ホテルの床ですよ。悩ましい。しかし、しばらく時間が経つと、彼らもこのホテルに少し馴染んできたらしく、ある程度の落ち着きが出てきた。落ち着きすぎて、その辺のソファで、素足のままに歩き回って汚れた足の裏を見せてごろごろされているのは、ちょっと雰囲気的にはよろしくなかったが。

それをなんとか統制しているのは、集団でこの人たちが移動してくる前からこのホテルにいたあるインド人の一人の男性。しっかり経済的基盤ももっているらしく、フロントでインドの人たちが会計している時にいつも彼がいるので、「カード支払いなの？」と、訊いてみると「うん、彼らは支払う能力がないので、まとめて僕が支払っている」と言った。彼とはそれ以前にも何度か言葉を交わしたことがあり、集団で移動してきたインドの人たちとはまったく違う落ち着きを持っていた。海外での仕事も多くこなしてきたらしい。

しかし、全員ではないにしても、他の人の分まで支払い続けることができるのだろうか？　そんな疑問までは訊けなかった。しかし、彼を入口にして、このホテル内のほぼ全員が「げんなり」している、インド以外の人たちの中では、唯一といってもいいくらい私は彼らと言葉を交わすようになった。部屋を変えてなかったら、そんな余裕はなかったと思うけど。私の写真集に興味を示した彼に、本を貸してあげたりした。

そして、そんな彼らは、ある新しい文化を持ち込んだ。チェスである。のちに知ったことだが、チェスの起源はインドにあるらしい。違うゲームなのだが、そのルーツであるゲームがヨーロッパに渡ってから変化したものが今のチェスになったのだという。それまでは、紙のカード遊びしかなかったこのホテル内で、すっくと頭の立ったチェスの駒と、白と黒に塗り分けられた、チェス盤が現れた。

「わおっ」私は嬉しかった。それまでチェスをやってみたい、と思ったことはあっても、そんなチャンスはなかった。周囲にやる人がいなかったから。それで、私もやりたい、とお願いするとすんなりオーケーしてくれた。さて、プールサイドの、この時は以前、カードをやっていた場所とはまったく反対側の、寝椅子に布製のルーフが設えられた場所に座り込んで始めた。ルールを教わる所からである。まったく知らないので、私を別の一人と組ませてくれて、ゲームした。全部を飲み込むまでには時間がかかりそうだが、面白かった。しかし、何回かゲームをすると、すぐに今日は終わり、と言った。なんだあ、と思ったがしょうがない。後でわかったことだが、あの中心人物の彼は、「真剣にゲームを張りたい」わけで、私に教えてあげるのは退屈、と思っているらしかった。

それがわかったので、私は別の人にそっと頼んでみた。それは、インドの人なのだが、南米大陸のどこだったか、ペルーかボリビアで働いている、つまり、インドから見たら「海外生活」をしている人で、やはり物事を「外からも見れる視線」をもっているので話しやすかった。この人も、例のあの中心人物さんと同じくらいチェスに強いようだった。「ほぼ負けたことがない」と言っていた。その彼も、あっさりいいよ、と言って一緒に教えてくれながらゲームをすることになった。この時にも別の人を巻き込んで、一人を私に付けてくれ、私たち二人、と自分でゲームする形にしてくれた。しかし、これが私がここでゲームをできる最後になってしまうのだが……。理由は、勝ってしまったから。困ったものだ。

この時ばかりではない、負けたがらない男たちって、ほんとに……

この時、私と組ませてくれたインドの人は、ものすごく感じのいい人だった。こんな人がインドのメンバーの中にもいたのか、というといけないが。そこそこの若さ。30歳くらいだろうか。眼鏡をかけていて、知的な印象。話し方も物静かで優しかった。そして、ちょっとした美女の彼女がいた。他のインドの人たちは、確か全員、独り者だった。なのでいろいろな意味で異彩でもあった。私たちは、ペルーだかボリビア在住の彼と、この大人しやかなインド男性と私。そして、ゲームはしないで見守る彼女と一緒に穏やかにゲームを始めた。この異彩君は、さほどゲームに強くはないようだった。以前、プールサイドで私に見せるためにゲームを展開してくれた時にも、彼は負けてしまった。だから、彼と、まったく新人の私で一人前か半人前、そんな状態でゲームを始めた。当然、例の彼は自信満々である。まだ、プールサイドで一回習っただけの私だから、まったくと言っていいほど覚えてはいない。なので、駒の名前の復習からやりながらスタートした。確か、一回目は彼が勝ったと思う。当然のことのように。そして、二回目。ふとした瞬間、まったくど素人といってもいい私に、突然何かが舞い降りた。「エレファント」という駒。駒の呼び名は、インド式とヨーロッパ式では違っている。だから、もしヨーロッパとやろうとしたら、なにがなにに当たるか、復習し直さないとならなくなるのだが。それは置いといて。その大きく直線で動ける「エレファント」をぐいっと進めればいいのではないか、と閃いてしまった。本当にただの直感、閃きでしかなかった。

ポンと相手方の奥まで進めて置いた駒。それを見た瞬間、彼の頬が一瞬こわばった。そして、例の異彩君の目がきらきらっと輝いた。とは言え、その先のすべてを私が動かせるわけではなかった。異彩君が、次々と駒を動かした。その途中、私にはすべてが見えた気がした。ただ、気がした、だけである。「ね、もう私たち、勝ったんじゃない?」「いや、まだまだ」そう言ったのは、異彩君のほう。例の彼は、じっと盤を見つめながら、異彩君が進めて、どんどん取っていく駒の動きをじっと見ていた。そして、王手。本当に私たちが勝った。

あの時の彼の顔……。どうして、ただのゲームでそこまで?　と思う。しかし、まったくわからないでもない。私だって、ただのゲームと分かっていても、負けたら悔しい。

しかも、ずっと勝ち続けたことしかない彼が、ほとんど新参者と、あまり強くない優男の組に負けたのだ。

なにも言わなかった。なんだか怖いような瞬間。黙って彼はもう終わりだ、と立ち上がった。大柄な彼。なかなかいい感じの性格をもっている人、と思っていた。その人が顔を強張らせて黙りこくり、立ち上がり、去る。その一瞬、私の顔を「いったいこいつ、何？」という顔で観た。異彩君が焦っているのが分かった。急いで駒を片付け、じゃ今日はこれでね、と彼女と去っていった。


はあ、また勝っちゃった。そして、なんだか変な気分。その時は、まさか私のチェス・ゲーム・イン・ハバナ・リブレが終わったとは思ってもいなかった。またできると思っていたのに、できなかった。最初に教えてくれた彼は、もう教えながらひよっことやるのは嫌だと思っている。この日の大柄君は、信じられないほどにプライドを傷つけられたらしく、もうやりそうにない。私は最後の望みを異彩君にかけたが、彼は、まるで日本の人間関係みたいに、周囲に気を配らなければならないようで「もう、できないんだ」と言った。はぁ〜。私は、異彩君の彼女にまで望みを託してみたが、彼女はやったことないし、やりたくもない、と言った。

実は、このチェスの盤。当初、私はインドの人たちのものなのだと思っていたが、違っていた。ホテルの所有物。それがわかるまでも少し時間がかかった。でもそれならば、盤を借りて、また別の人を探そう。外国人ならチェスをやったことのある人がいるはず、と思った。しかし、オフィスではチェス盤は貸出中、という。たぶん、インドの人たちが持っているのだろう。しかし、追及してみると、このホテル内にチェス盤は4セットある。でも通常出ているのは2セットだけで、もっと出そうとしたら特別許可をジレトールからとらなければならない。いろいろ面倒なのである。でも私は諦めなかった。そして、ついに借りることができた。次は、チェスができる人を探すこと。

これが思った以上に大変で、できる人はそうそうおらず。しかし、プールサイドにいるセキュリティの人が、「一人いるから紹介しよう」と言う。「ありがとう！」

私たちは、プールサイド付のバーの外側にある、二階のロビーでチェスを始めた。ここはちょっとうす暗いけど、風の通りが良くて涼しい。

しかし、この人は「チェスをやりたいのなら、知っているんでしょう?」とばかり、なにも言わずにただ、駒を動かしてゲームするだけ。それではまったく学べない。しかも……このポーランド出身のかなり高齢の御仁は、ずっと喉の咳払いが止まらない。かなり近めの正面にいるし、私はなんだか怖くてゲームどころではなくなってきた。「ごめんなさい、ありがとう、今日は、もう良いです。ありがとう」。なにしろ、こちらからお願いしておいて、自分でやめるのである。まったく勝手な！　しかし、これでもしなにかもらったら、と思うと怖くてたまらない。

とうとう、私はチェスゲームとご縁のないものになってしまった。しかし、後にインドの人たちに「君はゲームの盤をどこから持ってきたのか」と訊かれた。「いや、オフィスにあって、出してほしかったらちゃんと請求するように、と言われてしただけよ」というと、「そうなのか」と感心していた。彼らは4台あることを知らなかったらしい。つまり、あるだけ独占している、と思っていたわけだ。まったく。しかし、感心したように、こう言われた。「あなたはとても情熱的で、行動力に満ちている」はいはい、ありがとう。

こうして、終わったら必ず、すぐ返すように、と言われていた盤をオフィスに戻しに行くと、かなり親しくなっていたエリック、あの、私が最初にホテルに入った日にエアコンを見に来てくれて、一緒に踊った彼が「どうしたの？」と不思議そうに言った。周囲に人がいなかったから、そおっと「あの方、ずぅっと喉がぐるぐる言い続けてて、怖くて」と言うと、おかしそうにくすくす笑って「カタルだよ」と言った。そうでもあるかもしれないけど、一諸にゲームして、教えてもらえないし、楽しくもなかったのだ。「ありがとう、を連発で終わりにしちゃった」というと、「あ、そうそう、ありがとう、ありがとう、て一生懸命言ってた」と笑った。「聞いてたの？」そういえば、ゲームを終わろうとしている時に、エリックが通りがかったわ。皆、よく見ているのよねえ〜。

実は、この後、エリックとはゲームどころではない、ちょっとした事件が起きた。

あまり、寄り道すべきではないのかもしれない。なので、もう少し「負けたくない男って、まったく」という話をしておきたい。

あのデカすぎるドイツ男のマイケルとカードをしている頃、そのメンバーは時々フレキシブルにもなった。大体は三人でゲームしていて、もう一方はイタリア人らしからぬイタリア人のジャニだったが、時々入ったメンバーに、カナダ人の変わった男がいた。また変わった人だよ、そんな人ばっかり。カナダ人にしては小柄で、年の頃は60に手が届くかどうか、といったところ。カードが大好きな呑兵衛で、音楽を愛していていつも自分のアンプをプールサイドにもってきて、かなりな音量でかけていた。でも趣味が良かったから、私は彼の選曲が好きだし、まったくその音は苦にならなかった。だいたい、キューバを旅する人は、音楽の趣味が良い。そして、かなりの人が呑兵衛だ。あのイタリア人のやたら色気のある「Aburrido」の君もそうだった。

で、この人はカードゲームがかなり好きなだけあって、けっこう強かった。そして、良いところはあまり勝ち負けにこだわらずに楽しんでいる、ように見えたことだったのだが。私がマイケルのところでカードをしなくなってから、この人は、盛んにカードをやろう、と誘うようになった。彼は、自分のカードを持っていて、それはマイケルのものとも、イタリア人たちがやっている、あの40、とも違っていた。数と絵の組み合わせであることは、他のゲームとも共通していたが。私は、かなり長い間、彼からのカードゲームのお誘いはことわっていた。めんどうだったから。しかし、せっかく始めたチェスもできなくなってしまったし、「頭の体操」にはもってこいであるゲームをしたいな、と思っている頃またしてもお誘いをいただいたので、ご一諸することにした。

しかし、彼のカードは一対一でするものなので、二人きりだった。そして、自分の部屋にきてやろう、というのである。昼間だし、もう友達にもなっていたが、ちょっと気をつかうようにも思ったので、別の人も誘った。それほど以前からいたわけではないけど、その頃時々顔をあわせるようになっていた、レバノン人だった。しかし、その男は当日になって突然「行けない」と言い出し。しょうがないので一人ででかけた。

カナディアンの部屋はなかなかに面白かった。酒飲みで、たばこ好きらしく、双方が部屋に山積になっていた。タバコはマールボロで、ホテルの備品である、大きな鏡の両側に、まるで横から見たピラミッドか、もしくは富士山のように三角形にずらりと、赤と白でデザインされた可愛い空き箱が積み重ねられていた。なかなかにクリエイティブ。

私は、ゲーム中に自分で飲む用にジュースを持参で出かけたが、ラムを飲むか、と訊かれたので、このジュースにタラ滴入れた。なかなかいい感じの午後のゲーム開始である。このゲームをするのは私とっては初だったから、最初は当然、あちらが勝った。しかし、さほどに難しいものでもなかったので、何回目かに、しっかり勝てた。彼は「おお」、という感じで、「やるねえ」と言ったが。その後も、だんだん私の勝つ回数が増えてくると、なんだか少し不機嫌になってきた。でも、これ、ゲームだよ、と私は心の中で思う。しかも、相手も強くなかったら面白くないでしょ？　じゃ今日は、これを最終回のゲームにしましょ？　とあと一手。で、また私が勝ってしまった。すると……彼は、それじゃあ、子供でしょ？　というくらいに悔しそうな顔で、私を睨みつけ「あと一回やろう」と言う。最後に自分が勝たないと嫌なのだった。そんな心持ちはあまりにもばかばかしいので、お断わり。けっこう疲れてもいたし。

負けず嫌いのカード好きのカナディアン

「ごめんなさい、もう疲れちゃったから。では失礼しますね」帰ろうとする私に、彼は頬へキスしようとしてきた。コロナ時代は、禁止であるし、私はそんなことしたくもなかったので、逃げた。ぎりぎりセーフでドアをあけて、きゃあ、と言いながら外に出ると、お掃除の人がびっくりしてこちらを見たので恥ずかしかった。「もう行かないよ」。まったく。いろいろ困った男たち。

こうして、すっかりゲームには縁がなくなってきた私。最終的には、別のイタリア人グループとまたすることになるのだが。彼らは、ゲームに関しては、大人でさらりとしていてよかった。

チェスとゲバラとフィデルと

ここで、チェスとこのホテル、ハバナ・リブレとの関係について触れておかないと。それは、意外にも、チェ・ゲバラとフィデル・カストロの物語。

なぜ、ゲバラの名前が先かと言うと、チェスに熱中していたのは彼の方だから。そもそもこのホテルは、1959年の1月1日に革命を成功に導いた彼らが、ハバナで投宿した場所なのである。24階へ行くと、フィデルがオフィスにしていた部屋が、閉じられたままで残されている。廊下をどん詰まりまで行った、カタマランというスイートルームだ。このホテルは25階まであるが、最上階は音楽などやるホールになっている。客室の一番上は、24階なのだ。

カストロの部屋のドア

「そのままにしておくなんて、もったいないわ。あの旧市街にあるヘミングウェイがいつも泊まっていた部屋みたいに、再現して観光客が見に来れる場所にしたら?」と、オフィスのジャデイラに話したら「あら、それはいいアイデアね」と感心してくれた。もちろん、コロナもすべて治まってからだけど。

どうも、キューバの人たちは社会主義のせいなのか、商売があまりうまくない。旧市街とセントロの境目をなす通りに面して建つ、つまりカピトリオのならびにあるホテル、イングラテーラも、あの大ヒット映画「BVSC」の中でも紹介されたように、ピアニストのルベーン・ゴンザレスが弾いていたピアノが今でもレストランにある。「これを目玉にしたら?」と言うと、「えっ、そうなのか?」と、ホテルの人が知らない有りさま。

もちろん、こんな私の一言が、その後生きてきて、そうなったら楽しいのだけど。

そう、チェスの話に戻ろう。ハバナ・リブレの、一階ロビーと、オフィスのある二階の壁には、ずらりと古い写真が飾られている。どんな人がここを訪ねたか、というホテル自慢のようなものだけれど、その中にはもちろん、フィデルも、ゲバラもいる。そして、ゲバラの写真は、楽しそうにチェスをするものなのだ。いかにも彼らしい。多趣味。医大を卒業した医者であり、ハンセン病の人々を助けるボランティアもし、写真が好きで南米の旅の途中で生活資金のために公園で写真を撮る仕事で稼いでもいた。もちろん革命家であり、その途中に綴られた日記は著書にもなっている。そして、チェス。強かったかどうかは、どこにも書いてはいない。もしかしたら、

チェスをするゲバラ

先日、私が借りだしたチェス盤は、彼が遊んだものである可能性もある。だとしたら、本当に素敵だ。「すぐに返すように」言われた理由もわかる気がする。

さらには、ゲバラだけではなく、ここでチェスをした大物がまだいる。ボビー・フィッシャー。写真を見た時には唖然とした。この人の名前は、映画「ボビー・フィッシャーを探して」でご存じの方もあるに違いない。米国で初めて世界大会で優勝した伝説的なチェス・プレーヤーだが、80年代から突然行方をくらます。映画は、彼自身の物語ではなく、ジョシュ・ウェイッキンというやはり、ボビーのような天才的な才能をもった少年の物語だ。

勝負の世界ならどこでも同様なことだが、勝ち負けがあり、プロならばそのプレッシャーとどう闘えるか、というメンタルが、もう一つの闘いになる。この少年も同様で。

こう書きながら、プロではないにしても、勝敗にこだわるのは人の性なのか、とも思う。黙って立ち上がり、もう戻ってこなかったインドの人。自分が勝って終わるまで、やろう、と言い続けるカナダ人。私とて、あの大バカのドイツ男の言葉に怒ったのは、プライドがかかっていたからだ。

こう考えると、どうゲームを楽しめるかは、なかなかに微妙な心のスタンスが必要なのだ、ということに気づく。後に一緒に遊び始めたイタリア人たちは、「賭けて」いた。意外にも、それが逆にいいのかもしれない、と今にして考えたりする。ほんの少しの掛け金だが、そういう支払ったり、貰ったり、という「ゲンキン」な何かが、心の悔しさや、余分な優越感をかき消してくれる。もちろん、掛け金があることで熱くなって、ナイフがでないか心配になるような別グループもいたけど。

私は「賭ける」ことに躊躇があったのでそう言うと、他のもので返してもいいよお、と言ってくれる。一人がそういうと、別の人が「ベソだなぁ、あはは」と笑う。う〜ん、それはちょっと無理。「だったら、歌ってくれ」「うん、それならいいよ」「アベ・マリアがいいなぁ」……なんと、難しすぎる。それでも私は、負けたときの支払いのために、練習を始めたが、なんとも難しくて、イタリア人の満足が得られるほどの歌を披露できそうになかった。

支払いのかわりの歌はできなかったが。後に、日本に帰ってから私は、一つのお礼を彼らにした。これは、私のキューバの記憶の中でも格別に好きな思い出だ。

カード仲間の一人に、大柄なイタリアンのファブリッツオがいた。彼は頭がつるんとしていて、鼻がとてつもなく大きくて、と書くとなにやら想像する方もあるかもしれないが、私とてやはりそうだ。あんまり上品な話でなくて申し訳ないが。

実は彼は「写真を撮って」と言いに来た人たちの一員で。いいよ、と撮ってあげると撮影した写真全部を携帯電話でイタリアに送ってくれ、と言い出した。いや、それはちょっと。いくつかあげるから自分でやって、と言ってもかなかなか聞き入れてくれず、参った。この時、私はオフィスにいる時のやり取りだったので、彼がその場を去ってから「カプリチョーソと、エゴイストの違いは何？」とそこにいたジャディラと、エリックに尋ねた。答えは「カプリチョーソは、自分の要求をこうだ、こうだ、と主張する勝手さ。エゴイストは、自分のことしか考えない勝手さ」「ああ、だったら今のはカプリチョーソ?」「そうだね」、で言葉を一つ覚えた。彼らは、知的で気持ちがオープンだったから、時々オフィスに出向いてお喋りできる時間があると楽しかった。

そう、そのファブリッツオ。そんなことであんまり印象が良くなくなっていたが、後にこれは変化する。一緒にゲームもやり始めたからかもしれない。彼も、写真へのわがままを除けば、心が広くていい人だった。

ある日。彼とあと一人と私の三人で、例の20階のホールでゲームをしていた時の事。もうここの滞在もずいぶん長くなって、皆、うんざりしつつも、なんとか自分のバランスをとっている、そんな頃。20階から見える、広々としたハバナの街の風景を見ながら、「この歌を知っているかい?」と尋ねてくる。何?

イタリアの歌「Valare（飛ぶ）」＝原タイトル『青く塗られた青の中で』を教えてくれたファブリッツオ。いい人だった

それは、あのとても有名な「Volare」だった。スペイン語のバージョンで、早いリズムで、チカーノのグループ、ジプシー・キングスが歌ったバージョンが大ヒットしたので、あれを原曲のように思われてる人も多いかもしれないが、もともとはイタリアの歌。

作曲、ドメニコ・モドゥーニヨ。作詞、フランコ・ミリアッチ。

これは二つの大きな賞を受けている。一つ

は、1958年のイタリアのサンレモ音楽祭。また、翌年はちょうどグラミー賞が創設された年で、イタリア語の原題「青く塗られた青の中で」は、記念すべき、第一回目の最優秀レコード賞と、作曲賞をダブル受賞した。有名な曲なのである。

http://www.worldfolksong.com/songbook/italy/volare.html

そして、今、イタリアは、この曲をイタリアの政府観光局のテーマソングに選んでいる。魅力的な女性の歌声で、ゆっくりとしたテンポ。優雅な「青の中の青」は、今、私たちが眺めている、この真っ青な海と空の間の風景にもぴったりだった。

そして、ジプシー・キングスのヒットで知られるタイトルは「Volare」、飛ぼう！ずっと幽閉状態の中にいる、私たちの「外に出たい、この大空を飛んでみたい」そんな気分にぴったりでもあった。

もともと知ってはいたけれど、これほどぴったりの環境の中で、これを聞かせてくれたファブリッツオ、ありがとう。感謝している。

帰国後。私はコロナ禍の中ではあったけど、ぎりぎりまだなにかできそうな雰囲気の残っている秋。某所でこの歌の録音をした。ギターは日本在住のキューバ人のカルロス・セスペデス。その動画の中には、私の撮影したキューバの空の写真と、日本の我が家から見える富士山も入れた。けっして辛かったり、悲しかったりする思い出ではない。幽閉の中での、楽しかった、感謝したい、そんな楽しい気持ちのこもった歌だから、椅子に座って踊りながら歌った。だから、この曲はまずイタリアの友人たちに捧げた。そして、ずっとお世話になったキューバの人にも。そして、一諸に闘い続けている、世界の人たちのためにも、歌った。

このホテルの中での、本当に気持ちの良い、温かい思い出の一コマだ。もし、ご興味ある方は、本書巻末の、私のプロフィールにあるサイトから見れます。よろしければご参照くださいませ。

突然の結婚話し

さて、ホテルにいる変わった人たちの話題もだんだん最終段階に向かってきた。最後は私も含めたびっくりの出来事。結婚話し！

事の成り行きは、こうだ。

以前にも書いたとおり、私は、無理にでも帰りたいとは思っていなかった。そもそも今回のキューバは、コロナが発生した後に来たわけだから、「その場合、こういう場合」という想定もなしには来れなかった。以前からある程度、希望はもっていたのだが「キューバに住んでもいいな」という。もちろん、特別パートナーがいるわけでもないのに、そういう選択をする人はわりと稀なわけであって。ま、この辺でも私自身がちょっと変わった人にもなりえるのだろうか、自分でも笑えるが。

なので、いろいろな書類は持ってきていた。日本のものなのは当然だが、住民票、免許証のコピーなども。「いざとなったら、住む」そんな勢い。

しかし、事情は微妙に異なってきた。コロナである。このまま住むか、やはり帰るほうに進むのか。すでに書いたとおり、帰る場合も、チケットを得る、という大問題があった。

ある日、オフィスでのこと。次々と帰国便に乗っていく人たちの波も少し収まってきたころ。

「まりこ、あなたは国に帰らないの？」と尋ねられた。

「う〜ん、どうするか考えてるの」。その頃は、日本ではGo To キャンペーンが決まった頃で、私はキューバで、すっ転ぶかと思うほど驚いた。キューバの完璧を目指すような感染対策を見ていると、とてもじゃないけれど考えられなかった。

「帰るのにも不安があるのよね、このままキューバに住もうかとも思うんだけど、問題はビザよ。日本大使館にも永住権の取得について訊いてみたんだけど、別の書類が必要らしく、今は日本からキューバへ郵便物を送っても届かないため、それもできないの」

「じゃ、結婚したら？」

「えっ、誰と！」

「エリック」

その提案者は、その時、オフィスにいなかったエリックの名前をだした。

「えええっ、彼と結婚するの？」

「もちろん、ペーパーよ。それやる人は少なからずいるの、知ってるでしょ？」

もちろん知っていたし実際、「まりこ、ビザで困っているのなら結婚しようか」と、過去に何度か「提案」されたこともある。しなかったけど。

エリックはいい感じだし、かなり年下だけど、キューバではそういうことはあまり気にされな

エリック。いろいろありがとう

い。しかも、本当の結婚ではないわけだし。

「どうしますかねぇ？」方便結婚であっても、今のこの不安定な状態からは脱することはできる。「考えてみる」と言い残してオフィスを出た。

その日の午後、二階のロビーで早くもばったりエリックと出会った。

「おお、まりこ！」

彼は、嬉しそうに、切なそうに近寄ってくる。え、まるで本当に結婚する相手みたいじゃない？　ちょっと焦りながらも、友達はいても変な奴ばかりのこのホテル生活の中で、なにやら久々に華やいだ、気分？　おまけに彼は、私の二の腕をなでなでしてくる。う～ん、日本だったら完璧、セクハラになりそうなこういう動作も、ハグやベソが一般的な挨拶であるこの国では、この時期は両方ともコロナ感染防止のために禁止になっていたが、とやかく言うのは、ちょっとやり過ぎ、でもいつもとはかなり違った親しさ。うむ、なんでしょうね？

「話し、聞いたの？」

「うん、聞いたよ、また後でオフィスでね」

私は急いで、いろいろ調べた。それまで、ペーパーで結婚は考えたことはなかったが、ただ、方便のためにそうする人がいることは知っていたから、どのくらいの費用が発生するものか。そう、結婚したい、つまりビザが欲しい外国人がキューバの人に支払うわけだ。もし、ペーパーではなくて、本物の結婚でもかなりな額がいろいろな名目で発生する。

私は手っ取り早く、キューバの人と結婚した日本の人に訊いてみた。答えは思った以上にまちまちだった。とても微妙な言い方でしかないが結婚した時の状態にもよるのだという。しかし、いずれにしても、「そこまで？」というほどの高額だった。「なるべく安く収めるためには」的なアドバイスもあったが、それでもまだまだかなりなものだった。一言、付け加えると、キューバで結婚した場合には、このように高くつき、日本ですべての書類を揃えて、駐日キューバ大使館経由で提出すれば、ぜんぜん安く上がる。これは、キューバで結婚した人、日本でした人、の双方があまりにも知らない事実である。さて。

キューバの人と結婚してハバナに住んでいるある女性は、私の話を聞いて、けたけたと笑った。

「いいんじゃない？　え、ホテルの電気系統の技師さん？　手に職のある人は、キューバではいい結婚相手よ、いいんじゃないのぉ？」

だんだん、本当にするみたいになってきた。どうなの、この状態？

私は、一度はオフィスでオープンに相談しておかないと、とエリックのいる時にそのアイディアを持ち出した人と話した。「う〜ん、やっぱり本物の結婚ではない、というのは気になるわね。でも、本物の結婚するって言っても、相手いないし」

冗談のように言いながら笑うと、横に座っていたエリックが「僕」、と言って、横目で私を見て、にたぁっと笑った。

う〜ん、そんなこと言われてもねぇ、瓢箪から駒にしても、ずいぶんじゃないか？

しかも、エリックにはガールフレンドがいるらしいし、ただ、キューバではそういうことはとてもフレキシブルだから、彼が心変わりしてしまう可能性だってないわけではない。だが、そうまでして、結婚する？　と考えたら、その答えはノー、であった。私は、その気になったら仕事が早い。この結論を得るまでにほぼ、一日かからなかった。予備知識もあったし。私は、早々に、またしてもオフィスに出向いてこの事実を伝えた。

「結婚は無理」

しかし、その結果は、私が思っているものとずいぶん違っていた。というのは、エリックの落胆度の凄さ。これにもまた戸惑ってしまった。本当に私が好きで、期待していたわけじゃないよね？　とまで考えた。ここは謎なのである。

ちょうど、エリックと話さなきゃ、と思っていたところへ、二階のロビー、吹き抜けのあちら側を歩いている彼を見つけた。「エリック！」なんのこだわりもない私は、大声で呼んで、急いでそちら側へ回った。彼は、ちょっと大人し気な笑みを浮かべて私を見ている。もう知っているのだ。「できないことになったから、あなたにも彼女がいるわけだし、ね？」

「うんうん」と彼は小さく頷いて、黙ってさぁ～っと去っていった。

あらぁ、どうしよう？　あの落胆の理由が知りたいんだけど。

それから数日間は、いつもオフィスでうなだれているエリックを見た。まあ、どうしちゃったかしら？「偽装結婚の破綻でそうなるわけ？」

私はなんだか納得いかないままに、なんと、エリックを励ます立場になってしまった。「エリック、元気？」わざと大きな声で、握りこぶしをつくつて、ぶんぶん、しながらに訊いてみる。またしても、ただ単に「うんうん」と頷くだけ。

その頃、オフィスに来ていた、新人の女性が、困ったように笑っている、「しょうがないわねえ」というように。

先日の電話で、けたけた笑いながら「お勧めよ」と言っていた女性に話すと「大丈夫よ、クバーノは数日で持ち直すから」と。ま、私もそれは知っているけど。

しかし、彼の落胆は数日間は続き、その後も私を見ても以前ほどに親し気な様子は見せなくなった。私はなんとか、彼の本心を聞いてみたかった。

「その落胆の理由はなになのか」と。

本当に私と結婚するつもりだったのか、それとも単に結婚すると、キューバ人にとっては、相当な金額のお礼が入るからそれが楽しみだったのか、と。（「そういう」タイプの結婚）

それを訊いてなにかが変わるわけではなかったのだが、やはりとても気になった。本当の事？しかし、本当の事なんてどこにあるのだろうか？　彼とて、そのことを正面切って尋ねられても、「これが本当の事です、これが僕の本心です」なんて、答えられはしなかったようにも思う。

そして、彼はその後もずっと私を軽く避けていて、しっかり向き合って話す機会を与えなかったから、ついに訊くことも出来なかった。その事が一番残念だったかもしれない。エリック、あなたはいったい何を考えていたの？

さて、あとお一方、一風変わった人の紹介をしよう。別に本人が変わった人である、というわけではなくて、他の方々とはいろいろ違う特色をもっていた、ということ。この人には、自分語りの方が向くなぁ、という気もするので、語っていただこう！

Marshal／マーシャル――ヨルバが来た！

僕がこのホテルに来て間もなくの頃。まだ友達もいないし、一人でプールサイドでスマホをいじりながら「検索」していたら。薄暗くなった空気の中をふわふわ、という感じで一人のアジアンの女性が歩いてきた。「日本人だ」すぐにわかった。なぜって、服装とか、表情とか、雰囲気とかで、僕たちはすぐにわかっちゃうよ。で「ハロー！」って声をかけたんだ。彼女もすぐににっこりして「ハロー！」って言った。当然、お喋り始めるよね？　皆、暇なんだから。なにから話したかは、覚えていない。だって、この日にも、またその翌日にもした会話のほうが、ずっと印象的だったからだ。実は僕はこの時、日本から大きなトラクターを自分の国に仕入れたい、ともくろんでいた。あ、僕の国は、ガイアナだ。カリブの海に面した、でも大陸側の国だけど、わかるかな？　ベネズエラの隣にくっつくみたいにしてある。いや、別に僕たちがくっついたわけではなくて、向こうがくっついた、ともいえるけどね、ふふ。英語圏なので、ガイアナだけど、スペイン語の発音はグアヤナみたいな。かなり伝わりにくい発音になるよ。

ところで、トラクターは、日本から輸入したいと思っていて、まさにその「検索」をしているところに、彼女が登場。もう神様が「遣わして」くれたかな、と思ったよ。だから、しばらく挨拶がわりのお喋りした後にすぐ切り出したんだ。「手伝ってくれるかなあ?」って。ところが彼女、びっくりすることに思いっきりはっきり断ったんだ。それまで、にこにこといい感じでお話していたから、きっとなんらか助けてくれる、と思ったのに。まったくの肩透かし。

僕は、がっかりするよりも、なんだかびっくりしたね。だって、ほんの一~二週間ほど、日本に行ったことがあるから。その時は僕の上司と一緒だった。ある程度、日本の人にも会ったけど、皆、ここまではっきり物事を断る人はいない感じだった。なぜダメなの? と訊いたら、「私は、トラクターのことなんかまったく知らないし、もしある程度知ったとしても、それがあなたにとって良い商品になるかどうかなんてまったくわからないし、上司の方と一緒に行ったことがあるのなら、その人に手伝ってもらったらいいんじゃない?」って言うんだ。まったくその通り。でも実は上司はもう会社辞めちゃってて、それで僕は一人でなんとかしようとしていたんだけど。とにかく、彼女は、きっぱりはっきり断ったので、どうしようもなく。だからって、お互いが気まずくなったりもなにもしなかったけどね。彼女は、プールサイドの一段上にある、広~い「屋根の上のテラス」みたいなところを歩きに行くから、と立ち上がって「バイバイ、またねぇ~」って行っちゃった。

そして、その次の日。僕たちはまた偶然に会った。この日は、僕はその時は閉まっている、二階のプールサイド横のレストランの前にある、プラスティックのテーブルと椅子の所に座って、一人で煙草を吸いながら、ビールを飲んでいたんだ。キューバの軽～い、クリスタルっていうビール。また、ふわふわって彼女がやってきた、「あら」っていうんだな。「座っていい?」って訊くから「どうぞどうぞ」って言ったよ。僕だって暇なんだ。

この日は、一般的な初めて知り合った人たちがするような会話から始まった。まず、名前だ、そうだろ? で、これがね、事件だったわけだ! 僕の名前を聞くから「マーシャル」って答えた。国での僕の通り名はそれだったから。Facebookでもその名前を使っているよ。でも彼女は、なんだか変な顔をするんだよね。「なに?」て訊いたら「別の名前があるでしょ?」と言うんだな。変な人だよ、ちゃんと名乗ってるのに。でも、実はね、それは図星だったんだ。「Olushola オルショラ」、と答えると、彼女は目を真ん丸にして「ええっ!」って叫んだね。「なんでだよ!」「それって、ヨルバの名前じゃない!」はぁ?

今度は、僕が驚いた。「なんで、ここキューバにいる日本人の女性が、いきなり、ヨルバなんて言い出すの! 普通、知ってるわけないだろ?」

最初に相手が驚き、そして次には僕がもっと驚いた。でもなんだかいきなり「そうです、僕はヨルバです」ってすんなり言う気にもならなくて、ぐすぐずしていたんだが、彼女は猛烈な勢いで「そうよね? そうよね?」て。僕は苦笑してしまった。なんなんだ、この人……

「なんで、わかるの、そんな事が?」「だって、私、ヨルバへ行っていたんだもの」「はぁ?!」

もう一度、びっくりした。びっくり合戦では、あちらのほうがちょっと勝っていたなぁ。どちらをより驚かせたか、て話し。そんな、日本の女性がヨルバへ行った？　しかも、コロナ禍のキューバのホテルのプールサイドでこうして話してる？　なんだか変だよ、びっくり過ぎる。

そこから、ヨルバの神様だの、儀式だの、入信だのの話になって。そうか、考えたらキューバにもヨルバ系の神様は渡っているからな。彼女は、今度はこちら側、大西洋を渡った側に興味を抱いて、やってきているらしい。びっくりした。でもそのあとのびっくり合戦ではまた僕がちょっと巻き返したよ。

僕は、ガイアナ人、ってことになっているけど、実は、そう彼女の言う通り、ヨルバ人、れっきとした誇り高きアフリカ人なんだ。10歳で国、生まれ故郷のナイジェリアを離れてガイアナにやってきた。父親とともにね。そのあたりのいきさつはそんなに話したくなかったら、彼女も訊かなかった。うん、なかなかに敏感だ。でも、国、つまりナイジェリアには今も母親がいて。その母親は、実は女司祭だ。

そう言ったら、今度は彼女が飛び上がるくらい驚いた。目をきらきらさせて、すごい、すごいの連発。だから、僕はある程度詳しく、僕の母親の仕事ぶりを話してあげた。僕の実家は元首都のレゴス〔現地発音、一般的にはラゴスと表記されることも多い〕なんだ。今、目の前にいる彼女は、ヨルバだけではなくて、かなり広範囲にナイジェリアを旅して歩いたみたいで、普通ナイジェリア人が絶対行かないような所まで行っていた。僕たち、ナイジェリア南西部

聖都イフェの王宮にある祭祀の場。鉄の神、オグンの儀式の跡。三角錐に犬の血をかけて祀る。立っている人は司祭で、オグンの神話を語ってくれた。

のレゴスの住人は、北東の国境である、マイドゥグリや、チャド湖なんかには行かない！断じて行かない。用事はないし、人種も言葉も違うし。もう、国が違うって感じ。あんなところよりも、ロンドンの方がずっと近い、て感じだよ、僕たちにとっては。彼女、そんなところまで行っているんだ。なんなんだ、まったく。

で、その肝心のヨルバでも、ヨルバの神々の現場に、いろいろ出向いていた。笑えるね。あの、世界的に活躍した音楽家で、当時の腐った政府と渡り合った闘志でもあった、フェラ・アニクラポ・クティにも会っていて、しかも、本、書いたぁ？　わあ、なんか凄いのに会ったなあ。彼の故郷であるアベオクタという町にある、聖なる大岩オルモ・ロックにも登ってきたらしい、驚くなぁ。また、ヨルバの宗教的聖地、イフェのパレスで、「語り部」からオグン＝鉄と金属の神の話も聞いたぁ？　ははは、凄いなぁ。

でも、こちらはなにしろ本場だ。僕は、こうして国を出てしまい、別の国に住んでいるから、そうはならなかったが、そのままナイジェリアにいたなら「継ぐ」ことになっていた。だからある程度は「その世界」のことは知っている。時々は里帰りもしているしね。彼女には「今度、いつナイジェリアに来るの？　来るときがあったら、母親を紹介してあげる。なにもかも知りたいこと、全部、教えてあげるよ」と言った。ただし、その条件としては「入信しないとならないんだよ」と言うと「わかってる」と言いつつ、それはどうかなぁ、という態度を示していた。彼女の話を聞くと、もう、実際に「入っているか、どうか」ということだけ置いて、ほぼ入っているのと同じに見えたけどね。ただし、本当に「入る」のはなにやかや、いろいろあるわけだ。詳しく話しちゃいけない。でも彼女は知っていた。「大丈夫だよ」と言ったけど、まだちょっと後ろに引いているみたいだった。それは置いといて。

もう少し社会的なことも教えてあげた。「外」の世界の人たちは、どうやら、ナイジェリアでは、その手の世界は近代化の波で消えていっている、と思い込んでいるらしい。でも違うんだな。今は、なかなかの隆盛だ。そういうと彼女はまた喜んでいた。ナイジェリアに行ったのはかなり前だったから、その頃とはまたずいぶん雰囲気が違っているだろう。「この事」についてもね。

どう隆盛か、というと僕たちのこの神々の世界、「ジュジュ」を繋がりとして、人が人とつながる機会にしようとしている側面もある。まあ、互助会みたいな感じだな。それで、ビジネスを発展させようとしている人もいるので、すごいんだ。もちろん、純粋に「信じる」ことをしている人もいるけどね。

僕たちは、ヨルバのことについて、ナイジェリアの事についてもいっぱい話をした。もちろん、楽しかったよ。主にスペイン語ばかり話す人たちの中にあって、英語も話したし、なにより「ヨルバ」を知っている。面白くて、楽しい思い出だったな。ＳＮＳでつながっているから、またいつか会えることがあったら楽しい。今は、彼女が日本にいながら、時々アップしているキューバの記事を読むのが楽しみだな。

ありがとう、マーシャル、いや、オルショラ。彼は二週間程度、ホテルで過ごした後、何カ国かの中南米を回る便に乗れるかどうかを、気をもみながら待ち、そして無事に乗って帰っていった。そうだ、彼からは別の貴重な情報ももらった。彼はここのホテルに来る前には、高級住宅地であるミラマールにあるホテルにいた。ガイアナの国は、こうしてキューバに居残ってしまった人たちのホテル代を提供していた。そのホテル代金が高く続くのが大変だったのか、もしくは「便を待つために」このホテルに移動したかは定かではないが。彼からはそのホテルの居心地、特に「食事状態」が素晴らしいことを聞き及んで、数日、私もそちらに移動して「一心地」つけたことがあった。今いるこのホテルは、いろいろあっても楽しいし、けっして贅沢を言っていられない状態なのは知っていたけど、食事面ではそれなりに不自由なこともあった。ミラマールの海辺のホテルは、バンガローのような個室で気分も変わったし、朝食が豪華で驚いた。その分高かったから、数日間という約束でリブレを出たのだったが。どこにしても、情報というのは大切だ。

ベダードのこのホテルに居なかったら、ヨーロッパ経由で帰れる便の情報もゲットできなかったのだから。

また、こうした、オルショラとの出会いは素晴らしいだけでなく、なにか不思議な力に導かれてあったような気がして。あまりの様々な偶然の折り重なりに、来年はなにかしら「ヨルバがらみの事があるのかもしれない」などと思った。そして、実際、その兆候は出ているのだった。ああ、ヨルバ！　その不思議。そして、感謝。

こうして。キューバにいながらにして。またしてもヨルバの神様たちに見守られている。有難い気持ちでいっぱいになった。

そして、嬉しいのは嫌な思い出のすべてを補ってあまりあるほどの「嬉しい出来事」「感謝でいっぱいになる人との出会い」も「出来事」もあったのは心底、有難い。

感謝したい人たちがいてくれて、キューバの思い出も、深く温かいものになった。

そうだ、嫌なことは、書いて吐き出したら、忘れてしまおう！　思い出の中の「くず」の部類にして、捨ててしまおう！

ダンディなイタリアーノさん。文中には出てこないけど、最後まで居残った一人。私と会うと必ずウィンクをした。

日本の夏空も、ずいぶんと爽やかに青い。この青は、「飛びたい歌」にも、あのプールサイドで見上げる空にもつながっている。嫌な思いは、素敵な思い出に差し替えて、捨ててしまおう。

Ⅲ　キューバ最先端医療とコロナ対策、そして帰国

コロナ対策支援でイタリアに派遣された医師団の帰国

いつも、キューバにいて思うこと。

それは、ここには本物がある、ということだ。この世にはなんと多くのマヤカシや、ただの暇つぶしか、虚栄と見栄と欲と競争に彩られているものか。それが、ここキューバにまったくない、と言えばウソになる。しかし、ここを流れる「行き先」のストリーム、それはもっとも大切なこと、「命」に向かっていることなのだ。人が生きる、ということ。


まず、この章の最初にしたためておこう。

この章で終われたなら良かった。

そうなのだ、私が帰国し、そして10ケ月近くが経過して、この本もかなり書きあがる頃、大変な事件が起きた。2021年7月11日。「SOS CUBA」と名付けられた、詳しくは次の章で詳述するが、キューバをさらに困難な状態に導くような事態。そして、なんとそれと時期を同じくして、コロナ感染の大爆発。

このことを考えるたびに悲しくなる。なんとか、キューバが、キューバの人々が生き延びて欲しい。もちろん、国内のこと、日本のことでも十分に大変な事態はあるのだが、キューバは、長い間の米国の封鎖に耐えてきた国。私がコロナ感染がキューバでも始まった時に、もっとも恐れたのがこの国の中で食べ物が無くなったり、生活がより苦しくなってしまうことだった。そして、それが約一年後の今、実際のこととなってしまっているらしい。

なにより、薬不足も大いなる気がかりである。なんとかしたい。そんな想いを抱えての、以下の「振り返り原稿」になってしまった。今、読むと、なんともあの頃はまだ「のどか」だった……。

次の章に書く続く日々は、なんともキューバにとって痛々しい日々となった。ただし、この本の原稿の最終段階である、２０２２年夏、キューバは見事にコロナ禍の抑え込みに成功している。ここのところの毎日の新規感染者数は、二けた台。20人程度である。また、さらに詳しいキューバのコロナ対策については、最終の章にも記す。

キューバ革命の精神の一つ

ここからは、一年前の出来事を振り返りの部分である。

幽閉状態だったハバナのホテル・リブレでのこと、そこにいた人々のこと、本当は皆がとても懐かしい。そして当時の、今も続いているキューバのコロナ対策と医療のことを思う時、まっさきに心に浮かぶ光景がある。

一階のロビー。水と緑に彩られ、その匂いに満ちた、私にとっても懐かしいロビー。毎夕7時になるとトニーがやってくる。ガッチリとした体格に、温厚な微笑みを浮かべて。そう、トニーのことはまだ話していなかった。彼は、もともとここのオフィスで働くベテランで、こんなご時世ではない時には、いつも音響関係の仕事を担っていた。そして、この時も、その仕事の関連でロビーにやってきていた。

大型テレビにつないで設置された機器にパソコンを繋ぐ。そこから流れ出てくるのは、革命キューバ政府のかつての最高指導者、フィデル・カストロの演説である。こう書くとなにやら堅苦しいもののように感じられるが違う。それぱかりか、このコロナの時代に聴くと、ますます心動かされる感動的なスピーチである。

1983年にアルゼンチンで行われた演説で、当地でも絶大なオベーションで迎えられている。それは、革命直後から掲げられてきた、キューバ国民全員、医療と教育を受ける権利とその無償化の発展形を語るもので、この世に在る、生きとし生けるもの、私たちすべてが受けられるべき権利について話している。

私は、ネット上の翻訳機の助けを借りつつ、つたない語学力でチェックを入れて、なんとか読めるものにした。その要約は、下記である。

私たちは、いかなる国にも、爆弾を持ち込みもせず、投下もせず。他国の持つ正当な権利を剥奪したりしない。私たちは、いかなる原子力も持たず、生物兵器も持たず、化学兵器も持たない。私たちの科学が求めるもっとも大切なことは、ただ、人々の命を守る事だけにある。私たちの国は、必要とされている国に、兵器ではなく医療を届けるのだ。ウィルスもバクテリアも生産しない。特に、この世界の暗い部分に向けて、必要とされる所に医療を届ける。（オベーション、大きな拍手）兵器ではなく、知性を届けるのだ。再度、大きな拍手。

まるで、今の時代を見通したかのようなスピーチではないか。これを、毎日、毎日、トニーがテレビで流すべくロビーにやってくる。そして、必ずそこに観客がいる。イタリア人の6人。背の高い、北部イタリア出身の男。もう一人の北部出身のさほど背の高くない男。小柄のシシリア出の人、もう一人の小柄なあの赤い帽子のおじさん、あと一人はどうやらイタリア国籍は保持しているらしいが、トルコ出身の男、そして、ジャニもいる。またそこに時々加わるのが、私。こうして書くと、なんとも傑作なグループだが、私以外は、絶対に毎晩いた。彼らは、スピーチが終わると、かならず拍手する。そして、パソコンを片付けて去るトニーに「ありがとう」と言い、満足げにカードに戻ったり、お喋りに興じたりするのだった。

私も一緒に拍手しながら、この人たちは、熱心な共産主義信奉者なのかなあ、とも思ったが、スピーチの内容は「主義」には関わらず、人の命を尊ぶ、強い意志の表れ以外のなにものでもない、素晴らしいものだった。

フィデルたち、革命を達成した、現キューバ政府の指導者たちは、革命成立直後から、ここに記したように、国民全員の医療と教育の普及に力を入れた。すべての人が平等にそれらを無料で受ける権利を実践することを表明しており、それだけでも、素晴らしい国ではないか。そして、その後、キューバは医療を必要としている「世界」にむけて漕ぎだしていった。コロナ禍が始まる以前から、世界59カ国に医療団を派遣している。そればかりか高い医療水準で得られた様々な新薬も保持している。

いきなり、この原稿を書いている現在に飛んでしまうが。コロナに有効な治療薬数種類。既存の薬品の効果を発見したものと、まったくの新薬をあわせて、である。また、今現在、世界を騒がせているワクチンに関しては、5種類開発し、そのうちの2種類が治験を始めた。コロナ禍に関することは、日々、変化するので、本当に今こうして原稿を書いている現在、とだけお断りするが、今の所、重要な副反応と死者は出ていない。軽度の副反応がほんの一部分で見られている、とキューバの保健省のサイトで記されているし、個人的に質問させていただいた、科学技術庁からの返信でも同様である。2点のワクチンのうちの一つからは、副反応を出した人のうちのほんの1%の重要な副反応も出たが、24〜72時間以内に回復した。頼もしい。その後、国民の90%以上が接種を完了した。

時を、この世にコロナ禍、COVID19が発生した時に話を戻し、「キューバでの」経過について書こう。

まず、武漢がロックダウンされた、あの衝撃的な事件を知らない人はいない。ガチャンと音を響かせて閉じられた金属の扉のあちら側。

そこには、多くの病と闘う人々と、悲劇がひしめいていた。そこに、まさに、その最中に武漢に向かって出かけて行った国。それがキューバ、キューバ医療団なのである。

当時、キューバが携えていったのは、アルファ2bという「免疫力を高めて、人々が重症化しないように食い止める」薬だった。これによって救われた患者さんは千人をくだらなかった、と聞く。実数などはわからない、それによって救われたかどうかを実証は出来ないからだ。

その驚くべき活躍の根本にあるのは、最初に記した、フィデルの思想の裏付けがなければ成されないことである。

キューバが武漢に向かった一か月後、私はキューバ入りした。その頃はまだ、キューバに感染者なし。ヨーロッパでさえ感染はまださほどではなかった。しかし、そのほんの直後、イタリアで感染が爆発。この意外な展開は、心底驚かされた。後に、この感染爆発の経緯には、北部ミラノ周辺に、武漢を含む中国の人たちが相当な数、移動したため、とも聞いた。もともとこの地域で仕事をしていた人たちが春節後にイタリアに戻ったのである。

この驚くような展開に目を見張っているうちに、またしてもキューバはイタリアへ医療団を派遣した。この勇気には、言葉もなかった。もし、私が医師で、感染症の専門で、そしてこういう事態に直面したら「行けるかどうか」と問われてすぐに答えることはできない。どのくらい、情熱を持ち真に病に打ち勝ちたい心をもっていたかどうかにかかってくる。もし医師になるなら、なる時点でその覚悟を持たなければ医師として本物ではないのだろう。なので、そこに「向かって行った」医師の方達には、頭が下がってそのまま上がらないほどの気分だ。

90人ほどの医師と看護団が派遣され、数か月間活躍し、キューバの空港に帰還したその時には、どんなに嬉しかったか。とても言葉にはできないほどだった。その経緯は、ずっとハバナのホテルのテレビで観続けていた。空港到着のニュースは、嬉しさのあまり一人では観ておられず、オフィスに駆けて行って、ジァデイラとエリックとともにニュースを観た。ジャデイラが駆け込んでくる私を見て「うん、帰ってきたわね……」と安堵感を滲ませて言った。

この頃のイタリアからのニュースにはいくつも衝撃的なことが含まれていた。

まず、突然の感染爆発に伴なって医療が追いつかず、「命の選択」がされたこと。すべての人に手が回らないため、高齢の人から「切っていく」選択である。これを最初聞いたときには、どれだけ胸が痛んだかしれない。憧れをもっていたイタリアには「行きたくない」という激しい思いがこみ上げた。この後のイタリアそのものの経緯と、ホテルで親しんだ、イタリア人の存在がなかったら、この気分が簡単に変わったかどうかしれない。いかに、「交流」は個人的レベルで果たせるか、という見本のようだ。

同時に私が憤ったのは、感染爆発前、命の選択に先だって、「音楽学校ではアジア系の人には学ばせない」としたこと。「なんという差別だろう?」以前からイタリアにいた人たちも、ダメだったのである。国別差別、地域差別、人の差別に他ならない。「イタリア嫌い」。はっきりとそう思った一時期だった。

同時に、イタリアからのニュースで、この国に尊敬の眼差しを向ける一件もあった。

当初、WHOは感染への危険を避けるためにコロナによる死亡者の解剖を禁止していた。だが、イタリアはその禁を自らの意志で破って解剖を実施し、そしてかなりの多くのコロナによる死因が「血栓」であることを発見した。2020年4月である。世界のどこよりも早かったはずである。その意外な真実に驚きとともに、解剖を実施できる国イタリアを尊敬の眼差しで私は見た。ハバナにいる時、ネットのニュースだったと思う。今、現在この原稿のこの部分を書いている２０２１年6月、日本でも世界でも「ワクチン」に関する視線とワクチン接種後に死亡することもある危険との闘いに皆の眼差しが向かっており、「危険」の中のかなり大きいものが血栓、そしてアナフィラキシーであることもわかっている。そのため、皆がその点は理解していると思う。だが、その発見の一番目は、世界にコロナが蔓延し始めた年、２０２０年4月のイタリアだった。感染が爆発したために「どうしても」の想いがあったのだと思う。同時に、世界的な「機構」が禁止していても、自らの意志決定のでき得る国、というのが、本音で語ってしまえば日本とはものすごく違っているために尊敬し「イタリア嫌い」はあっという間に消え去った。

イタリアから届いた最初の報告。

https://www.jmedj.co.jp/journal/paper/detail.php?id=1450

ただし、人種や国で「音楽大国」でもあるイタリアが学ばせることを拒否した経緯もあったことは、もし訪れるなら知っておかなければならないことだ、とも思うのだけれど。

以前にも書いたが……ここには以前書いたことと重複部分が出てくるが、ご容赦頂きたい。キューバで最初の感染者が出たのは、イタリアからの旅人で、しかも喘息の既往症を持つ65歳の方だった。皆が「イタリアではもし感染しても救われないからキューバに来たのではないか」と想像した。あって然るべきである。キューバはそんなふうにも「頼りに」されていたわけだ。

通常、キューバの医療団が出向く先は、緊急の災害が起きた所の他、医療がその国の隅々にまで至らない所が多い、アフリカ、中南米の国々。しかし、このコロナ禍の中では、それ以外の国々からの応援を求める声も少なからずあった。イタリア、スペイン、アルゼンチン。そして、アフリカ、中南米。キューバは、49カ国へ55の医療団を派遣した。

大活躍のキューバだった。ヨーロッパをはじめ、多くの国々が、キューバをノーベル平和賞に推していた。とりはしなかったけれど。

キューバの医療について。またこのコロナ禍の中の世界での活躍や、国内での封じ込めの頑張りを想うと、書きたいことが押し寄せて、うまく纏めることができないほどだが、なんとかやってみようと思う。最初に記しておくが、キューバの２０２２年7月は、ほぼ抑え込みに成功しているようだ。新規感染者は二けた台。その後、政府発表では０人。

キューバでの最初の感染者はすでに書いた通り、当然のこと海外からもたらされた。それが3月上旬。キューバの対策は見事だった。三人の旅人が接触した、いわゆる濃厚接触者１００人以上をすぐに割り出し、隔離、検査。感染者はいなかった。同じころ、やはり海外の人と結婚していて里帰りした夫婦の片割れに感染が発見されて、同様に徹底検査。

3月半ばにヨーロッパが国を「閉じた」のと同じタイミングで、キューバも空港封鎖。帰りたい外国人は速やかに帰国の事、居残り外国人は滞在先からの外出は禁止、できるだけホテルに移動の事。ホテルは、もともとは高級な所であっても、カサ〔民泊〕なみの価格で提供された。これは、海外からもたらされる感染を防ぐだけではなく、外国人が巷で感染をいただいてしまう危険からの回避でもあった。

私はすでに書いたように、居残り組となってコロナが収まるのを待とうという姿勢でいた。しばらくカサに居てから、ホテルに移動した。

まだ、カサにいた頃の強烈な記憶。これも、少し以前触れたが。ハバナのある地域でクラスター発生。8名だったが、その地域はすぐさまロックダウン。ベダード地区だった。ベダードの一ブロックは大きいから感覚的に分かりにくいとは思うが、マレコン通りから陸側に3ブロック、横長には11ブロックほどだったか。この厳しさも、頼もしく思えた。ただし、実際にはすべての通りに「警官が張り付いているわけではなかったので、出たい住民はそこそこすり抜けて出かけていた、とも聞くが。方針としてはかなりきっちりしていた。すり抜けるのは「キューバだものね」というしかなかった。

この頃の印象的な出来事も書いておこう。

拍手である。まだ私がカサにいた頃だから、早くも3月下旬か、4月上旬。夜、カサで寛いでいると、突然大きな拍手の音が戸外から聞こえてきた。何?何?何?

訳がわからず。また、野球の強いキューバではあるが、まだサッカーは盛んとは言えず、しかし、そんな国がとうとうサッカーの試合に出たのか？　などと、オカシなことも考えつつ、表の通りに続くリビングに走った。

あちこちの窓から聞こえてくる拍手。これはスポーツ観戦ではなさそうだ。その理由が分かったのは、その直後だったか。テレビのニュースで二人のキャスターが、ニュースが終わった後に拍手をしたのである。「えっ、ニュースの終わりに拍手?」。それは、医療従事者の方たちへの拍手だったのである。またその頃、盛んに海外への「医療援助」に出向き始めたキューバ医療団への応援でもあった。

そうだったのか。なんとも感激する、そしてキューバらしいエピソードだった。私も、毎晩九時になると行われるこの行事に、カサの中で参加した。パチパチパチ。私たちにできることは、本当に本当に、少なかった。

ホテルに移動してからは、「街の拍手の音」は少し遠ざかったが、それでも聞こえてきた。聞こえ方が違うのが興味深かった。ホテルで聞こえてくるのは、まず犬の鳴き声だった。たぶん、ほんの身近な人の拍手の音に反応して鳴き始めるのだろう。広々と視界にはいる、ハバナの町のそこここから、犬の鳴き声。それに続いて、微かに響いてくる人々の家からの拍手の音。それが時には、音楽付きになったりした……。ああ、キューバ。これよりずっと後、確か一年後くらいに、ニューヨークでも同様に拍手が起きるようになったらしいが、キューバの真似なのかな、と想像している。

ホテルでの感染対策はすでに書いたが、さらっともう一度認識しておくと。

毎朝、階下に降りていくと朝食の前、レストラン前に保健省の人が待ち受けていて検温。体調変化が気になれば、この人たちが相談に乗ってくれる。

カサにいる頃のことで書いていないこと。それは、それぞれのカサも家庭も保健省の人が「廻って」体調管理をしてくれること。これは、もともとキューバは「家庭医」なるものがあって、それぞれの町内会のようにドクターがついているのである。２００人に一人だったか。このコロナ禍の時代にはあちらから出向いて様子を聞いてくれるのである、毎日。行けない時には電話がかかってくる。手が回らない時には、若い学生さんも駆り出されて、回ってくる。皆、親切でいい感じの人たちだ。私の住んでいたカサは、すぐとなりに医療院があったので「具合に心配な点があったら、すぐあそこにいらっしゃいね」と、なんとも便利だ。本来、外国人は、その専用の病院に行くことになっているが、コロナ禍の期間は特別だったのだろう。

全てが家庭医で賄われるわけではなくて、ここでは無理となったらもう少し大きな地域の医院を紹介される。それでも無理ならさらに大きな病院というように段階を追って、より精緻な検査が必要な時には診てもらえるようになっている。キューバの医者の数、人口比は、世界でもダントツに多い。１０００人に一人が医者になる国である。

さて、そういった恵まれた環境で「なにかあったら、助けてくれるよね？」という安心感のようなものがあった。私は、そういう環境の中で、キューバと日本と世界のコロナ感染の状態をじっくりと見て、自らの将来決定をする、という状態だった。

キューバは、その国内にいてもわかるほど、コロナの対策がしっかりしていて、「これは多分、抑え込みに成功するだろう」と頼もしく思えた。実際、感染者の人数はけっして多くはなく、また特徴的なのは、亡くなる人が極端に少ないことだった。これはキューバ医療の頼もしさでもあっただろう。有効な薬や、医療体制で。（ただし、その後のキューバの深刻な経済状態の悪化や、モノ不足により、医療関係や薬の不足もままならないほどになったことも確かだ）

こうして、最初のロックダウンが明けた、7月の上旬から少しを経た、20日、とうとう新規感染者がゼロをマークした日が来た。これには、キューバじゅうが喜びに満ちた。それはそうだ。毎日、毎日、テレビのニュースで、その日の感染者と、入院者、回復者、亡くなった人の数をリポートしている、保健省のフランシスコさんの頬も、思わずのように緩んでいたことを思い出す。その頃は、第一波が収まりを見せた頃で、私は一時的にホテルからカサに移動していた。それができるようになっていた。そのカサでも、夜の食事時には「今日はゼロになったね、良かったね」というのが話題になった。それは当然だった。当時の人の、今でもそうだが、もっとも大きな関心事だったのだから。

しかし。物事は、それほど甘くはなかった。他の国と同様に。

ある時、感染者減で気が緩んだのか、「フィエスタ」をやってしまった人いた。ハバナから少しだけ西に行った地域であった。そこには、ハバナの人、つまりキューバ国内でもっとも感染者の多い、いわゆる都市からの人も出向いていた。そこで起こった感染者クラスターは、なんと全員。70数名全員が一気に感染した、という衝撃的なものだった。政府も一般の人もかなり怒っていた、という。「という」というのは、私はその当時ホテルにいたからだ。キューバの人の生の声が聴きにくい状態だったからだ。

しかし、その一件で「人が集まる」というのがいかに感染にとっては危険か、イヤというほど沁みた。また、キューバでは「お家にいましょうね、キャンペーン」もかなり熱心に、しかも楽しく、ここがキューバらしいのであるが、繰り広げられていた。

その一翼を担っていたのが、あのBVSCでも大活躍したオマーラ・ポルトゥオンドさん。にこにこと明るい表情で、時に剽軽に「お家にいましょうね＝Quedate en Casa」キャンペーンを繰り広げながら、歌い面白く踊り、人々の共感を得ながら楽しませてくれていた。テレビの番組も、目を見張るほど楽しかった。素晴らしい音楽のライブビデオ、映画、内外のドラマ。人々が家にいても退屈しないような配慮がありありとみて取れて、好もしかった。決して、脅したり、非難したり、の姿勢ではないことは素晴らしいと思った。

ただし、一方では協力を仰ぐための罰金も存在していたようだが。これも、人づてに聞いたが、マスクをしないで歩いていた時に、そうとう高額の罰金を要求された知人がいた、と聞いた。頼み込んでかなりオマケしてもらったようだが。キューバ人である。

ちょっと、興味深いな、と思ったのは私たち外国人に対して。ホテルの一階の朝食用レストランの脇にあるベランダ。ずっと籠っているのはどうしても気持ちも籠るので、少しでも外気に触れたい。ふらふらとベランダまで出ると、すぐさまセキュリティが飛んでくる。まず、私の顔を覗きこんでマスクをしていることを確認する。もしホテル近くにいる国のセキュリティに見つかると、「彼らが」まずいことになるらしい。いわゆる監督不行き届き、てやつ？　頼むよ、僕らがヤバいんだ、と言っていた。心配させるのは悪いので、いつも気を付けていた。

ホテルの内と外

私たち、ホテルに居る外国人は、いろいろな意味で結局は守られていた。お掃除とエアコン付きの綺麗な室内。その気になれば、買い物も行かずに三食食べられるレストラン。味の好みはいろいろあるとしても。シャンプーにもコーヒーにも事欠くことはなく、必要なものを買いにホテル付の売店に行けば、すぐに外国人は内に入って買い物することができた。

こうして並べてみて、「外」の生活と比べるとすべてが対照的になってくる。室内が暑くて、食事の準備をし終えると汗びっしょりで何キロか痩せちゃったような気分になる、と嘆いている友人。なにより買い物そのものが大変で、何かを得るために何時間も並ばねばならず、「シャンプーが欲しいけどなかなかないので、あるという店には人が殺到するから結局5時間も並んで、足が痛くなった、もう並ばない！」と。食べ物にしても、数時間並ばずに買えるのはこの時期、少なかったようだ。キューバ人の旦那様と結婚している日本の友人は「並ぶことには慣れていないから、全部行ってもらってる。キューバの人はなれているから私たちよりずっと負担は感じないでできるみたいだし」と。

そんなふうだったから、「内と外」の連携もできてしまった。主にこちら側から何かを買って渡す、ということが多かったけれど。外にないのは、コーヒー。キューバに住むとわかるけど、コーヒーのない生活は考えられないほどによく飲む。それが手に入らないのはとても不便だ。また、シャンプーやリンスも。これらは、ホテルで潤沢に提供される小瓶のシャンプーを貯めこんだり、時々ホテル内で立つ売店にあるとわかると急いで買いに行き手に入れて渡した。これらのものも、私たちにとっても「いつもあるわけではない」のがなかなかにシリアスだった。ホテルで提供されるものはあるのだけれど。

また、一時期なくて困ったのは「歯磨き」。これは私たちも手に入らず、切れた期間はそこそこつらかった。どこかから提供されたのだろうか、私が帰国するころには改善されてわりと手に入りやすくなっていたが。

一方、私が欲しくてなかなか買えなかったのが、トマト。これはもともと手に入り難くなっていたが、シーズンが変わるとまったく無くなる。それでも食べたいときには、すごく食べたい。コロナ禍の時に限らず、私が年中、陥っていたのが「トマト欠乏症」だった。

なので、「今日トマトが手に入ったからホテルに行くね」と電話がかかってくると嬉しくて、こちらからはコーヒーやシャンプーを手渡した。

以前、このホテルに住んでいた例の日本人の彼女も、一度出てしまうと「外の人」になるので、ホテル内部までは入れないから、玄関でのやり取り。私が階下に降りて行って「ほら、あの彼女よ、知ってるでしょ？　ちょっとだけ話したいの」とドアのセキュリティの人に頼むと「あっ、そっか、いいよ」ということで、何歩かガラスのドアの外に出て、そこで立ち話し、でブツブツ交換した。そんなことも、もう懐かしい思い出になってしまう。

ハバナで親しくしていただいていた友人のキューバ人の旦那さんがホテルまでシャンプーをとりに見えたこともあった。かなりな道のり。友人の車に便乗して来られていた、そんな日々だった。いろいろなモノが足りなくなる傾向は、もともとのキューバにあったが、こうして極端に手に入りにくくなったのは、もちろんコロナ禍の後であった。その背景には、例の「米国による経済封鎖」の影がのしかかっていたことは間違いない。

魔の経済封鎖

このことについては、実はキューバに住みながら文と写真を送る形で仕事をしていた、朝日新聞のweb版の新聞、論座や、東京新聞などでも書かせていただいた。その蒸し返しになるが、書いておこう。

こうして原稿を書いている時にもまた国連の決議で「米国の対キューバ経済封鎖に反対する決議」でたった、2〜3カ国を除き、世界の184カ国が反対側にある。もう29年も続いている（2021年現在）この決議を米国は無視し続けてきた。2015年、当時のオバマ大統領と、キューバ政権のトップ、ラウル・カストロとの間で進められた「国交回復」により、目覚ましく変化した一時期を経て、トランプ政権に代わるとあっという間に後戻り。賑わいかえっていた通りはひっそりとし、「つかの間の夢」のような変貌だった。それに追い打ちをかけるようなCovid 19の世界的蔓延。米国は、自国のこともやらねばならないだろうに、ここぞとばかりキューバいじめに走っていた。その背景には、世界から嘱望されて、あちこちに「助け」を派遣する大活躍のキューバに対する妬みもあったことだろう。まるで、米国の歯ぎしりが聞こえてきそうだった。

いくつかの出来事を挙げておこう。ある時、中国の企業がモノの足りない中南米24カ国に対して、必要品を送ったことがあった。しかし、米国経由であったその物資は、キューバ向けのみストップされる、という事件が起きた。当然、キューバにその物資は届かず、目前で美味しいものをとられるような形になった。その企業とは、通販でノシてきた「アリババ」という会社で、後に何らかの事件を起こし、トップが「今いずこ」の状態になったと聞いた。

また、キューバに人工呼吸器を提供しており、米国内にあったスイスの会社2つが米国によって買収され、それによってキューバに呼吸器が提供されなくなった。後に、3Dプリンターで呼吸器が作れる、と言うキューバの動画がアップされていて「やはり！　私が想像したとおりになった」となんとも頼もしく嬉しかった（やったね！）

さらには、カリブ海域に米国の軍用艦が出動し、キューバに向かう船を実質制御しようという動きもあった。この名目は、カリブ海域に薬品を届ける、というものだったが、それ用に何故、武器を積んだ軍用艦だったのか。しかし、これには「おち」がついた。米国の船から感染者が出たために、Uターンして帰国せざるを得なくなったのだ。ご苦労さん。この時には、米国のみならず、英、仏の船も同調する、という動きがあり、けっこうがっかりさせられた。

というのも、それに先立ち、英国の客船をキューバが助ける、という美しい事件があったからである。まだ、コロナ禍の始まりの頃だ。英国の客船から感染者が出たためにどこにも寄港することができなかった。各国から断られた英国船は、カリブ海を彷徨うことになったが、それを助けたのがキューバ。船は寄港して、乗客は空港へ直行することを条件に受け入れられた。空港から無事に帰国できる喜びでいっぱいになった元乗船客からは「キューバ、愛してる＝Te Quiero Cuba」の横断幕が下げられた。そんな英国が？　船の客と国の決定は違うのだろう。が、あの時の乗船客は何を思っただろうか、と考えざるを得なかった。

そのうち、米国内でも、深刻な感染爆発。ハバナに滞在していてニューヨークに帰ろうとしていた友人が帰国を取りやめて、キューバに居残ったり。

世界中が、手探りで進む方向を見つけ出そうとしているかのような状態。キューバは他国を応援し、米国はキューバをいじめていたことだけは確かだった。トランプ氏に続いて政権にあるバイデン氏には、一刻も早くキューバ対策を見直してほしい、というその一点が私にとっては、もっとも急を要する、米国への期待だ。その後、２０２２年になって、ようやく、バイデン氏の、対キューバ規制緩和がほんの少し進められたが、その後、また逆戻りなどをくり返している。

それにしても、キューバはよくぞ、こういう状態で、コロナ・パンデミックをのり越えたものだと感心する。

ついに帰国への途へ

ここで私の私的な体験に、もう一度戻ろう。

私は待っていた。感染がそれなりの収まりを見せることを。なぜか。キューバにいて歌いたかったからである、もう一度。やっと戻れたキューバ。２０１５年から歌い始め、３年後になんとかＣＤも作り、再度その仕上げがしたく、また練習も積んで、歌うことを再開したかった。しかし、ホテルでは外部からの人は入って来れない。人と会うのも基本的には特別なことがなければストップされていた。自分で練習し続けてはいたが、それには限界を感じていた。なんとかまた、ギターの人か誰かと練習したい。

いろいろと道を探したが、どれもストップされてしまった。そんな中、第一波は去って、ホテル内の外国人も外出ができるようになった時期。私は、再びカサからホテルに戻ってギターの人と練習を再開できた。ギタリストさんは、エミリオ・マルティニ。ＣＤでも5曲演奏していただいた、なんというか、もうずっと恩人のような人だ。彼は、ずっと以前、名サックス奏者、セサール・ロペスさんのグループで演奏しているところを聴いて、「いいな」と記憶していた。いざ自分のＣＤをつくる時になって、その頃習っていた先生がスペインから帰国しないため、なんとか私のビザが切れる前に録音に漕ぎつけたく、エミリオさんに頼んだのだった。それがご縁。かれは、ホテルのロビーにやってきて、相談に乗ってくれた。本当にいい人なのである。実は、他のギターの人たちにも声はかけて見ていた。しかし、だれもまだ「外に出たくない」人たちばかりだった。必ずしも、許可がある、なし、ではなかったのだが。

実は、エミリオさんにも以前に一度、「道をさがしていた時期」に、声をかけていた。しかし、その時には断られていた。私はすごく、覚えている。その時の彼の断り方の美しかったことを。人はそれぞれである。だから、なにが良くて、なにがダメか、なんて簡単には言えない。しかし、この時、私は何かを断る時にこそ、その人の人格がもっとも露わになる、と学んだ。詳しい言葉は覚えていない。しかしそのメールには、まず私の呼び名が入っていて「まりこ」と。そして、いかにその時に私が練習したくてもまだ無理であることが、親切に優しく書いてあった。こういう断り方もできるのだなぁ、と感激してしまったことを覚えている。私も見習わなくては。

そして、いよいよ「かなり自由になってきた時期」も、多くの人たちが「まだ」と出たがらなかった。そんな時に「いいよ」と引き受けてくれたのが、エミリオさん。どんなにか嬉しかったか。たぶん、彼は、私が「歌いたい」と思っている想いを知っていたのだと思う。ほんの一ケ月間、4週間、週一回の4回。私は練習できた。なぜかと言えば……一ケ月後には、またしてもロックダウンになってしまったからだ。

しかし、その間、私は歌える、練習できる、という喜びで以前にもまして練習に磨きがかかった。最初はだめだった。いかに自分で練習していても、限度があり、声がすっかり落ちていたからだ。でも、エミリオさんとの練習再開で、がらっと変わってしまった。

声が出るようになった。歌の心が再び掴めるようになった。嬉しかった。部屋に入ることはできなかったから、ロビーで練習した。レストランでお友達になっていたキューバ人スタッフのテレサが、ちょっと離れた柱の影から覗くみたいにして練習を見て、笑って通っていった。それも嬉しかった。4週間でそうとう歌えるようになって、幸福感を味わっていた矢先だ。またしても、ロックダウンになるかもしれない、という空気が見えてきた。そうなっても練習は続けられるだろうか。その週末、ホテルですべての決定権を持つジレトールはお休みだった。出てきてくれるまで待たねばならない。そのことをエミリオさんに告げると「そうなのか！」と驚いていた。

　果たして、答えは「ノー」だった。私だけ特別扱いで、ギタリストさんとの練習を続けるのは許可されなかった。私の絶望はかなりなものだった。いったいいつまで今回のロックダウンは続くのだろうか。世界的な第二波から、キューバだけが免れることはないのだった。

　キューバももう夏。もっとも暑い季節、8月になっていた。それでもまだ、すぐに帰ろう、とは思っていなかった。待てるだろうか、待てばまた「明けて」練習できるだろうか。そういう淡い期待もやはり持っていた。しかし、きっとどこかでその難しさも感じていたのだろうか。

　そして、「帰国」の一文字は突然やってきた。フランス人の滞在者。それまで見たことのないフランス人男性とホテルで会った。すぐにピーンと来た。そもそもこのホテルにはフランス人は少なかった。皆、どこかのカサに潜んでいた。もしくは、地方の町に。このホテルにやってくる人は、ほとんどが数日から一週間以内に国に帰る便に搭乗するためにここに来ていた。この男性もそんな一人だった。「帰るのですか？」訊いてみると、図星だった。

「帰れるよ！」というフランス人

　何日の便？　私は驚くほど熱心にこの人に便の情報をもらっていた。そして、フランスへ帰国のための「特別便」に日本人である私が乗れるかどうか、をすぐに探索し始めていた。
　自分で決めるよりも先に、私の行動が私を引っ張っていく、そんな感じだった。自分で自分に驚いていた。「帰るのね」。本当は帰りたくない気持ちも強かった。それでも、どんどん人が少なくなっていくホテルにいて、心細かったり、寂しい気持ちも間違いなくあった。仲良くなったイタリアンがかなりな人数帰った。皆、帰るとなると、気持ちはあっちへ行ってしまったのが分かった。ずっと帰りたくても帰れずにいた、モロッコの人たちがついに帰る日が来た。なんともいえず寂しかった。最後の居残り組なのに。あとは、多国籍のちょっとこのホテルに立ち寄る人たち、そして、どっさり残っているのは、インドの人たち。彼らは「国が閉まっているため」帰りたくても帰れずにいた。「どうするんだろうね」。他人事ではなく見ていた。そして、私。もう、帰るとなったら一気にやることが山ほどあった。

まず「乗れるかどうか」。これはエアフランスへの問い合わせでオーケーとなった。何故、フランス経由だったかと言えば、大使館で知らせてきてくれる便は、メキシコへ行くものしかなかった。なぜかは知らない。そして、メキシコは震えが来るほどの感染者数と死者の国だった。通りたくない。はっきりしていた。オフィスのエリックでさえ「メキシコ？　絶対にやめたほうがいいよ」「そうよね、私も使いたくない」。

来るときにマイレージで使ったエアロ・メヒコも、飛んではいなかった。しかも、メキシコまで行ってもその先にちゃんと飛ぶ便があるかどうかは、まったくわからなかった。そんな恐ろしいことはない。メキシコに滞在するなんて。かつては、住んでみたい、とまで思ったことのある国。でももう事情はすっかり変わってしまっていた。コロナはなんと世界を変えてしまったのか。とにかく、ヨーロッパのほうがまだ良い。イタリアの便も考えてみたが、そもそもイタリア便は、日本人は乗れなかった。たぶん、帰国者の数が多かったからだろう。イタリア人の他はキューバ人で、イタリアで仕事をしていたり、家族がいる人が優先だった。だったら、フランス便に乗れるのなら悪くない。調べてみると、パリからの乗り継ぎ便もちゃんとある。しかし、乗り継ぎ時間が長かった。結局、パリからもエールフランスにしたのは、万一その便が飛ばなくなっても、同じ会社だったら、協力のしてくれ方が良いだろう。実は、到着した日に日本に飛ぶ全日空便もあった。その方が、乗り継ぎ時間が短かったので、できればそれに乗りたかったが、それだと一度空港を出てチェックインし直さなければならない。このコロナ禍の時代にそれを実行するのは大変だった。フランスに入国する、という形になるので、さらにいろいろな条件や書類が必要になってくる。それなら空港内に滞在したまま乗れるエールフランス便にした方が良い。そんな結果を得るまでにもずいぶんと調べてやっともろもろが分かってきた。

なにしろ、エールフランスには電話がほとんどつながらなくなっていた。一度、エルネストに頼んだ時には「かかりましたよ」とのことだったが、その後、彼がやっても私がやってもかからなくなった。タイミングがあるのだろう。

また、この時期にはまだ、その後当たり前になったＰＣＲ検査が必要なのかどうかもわからなかった。そのためにはどうする？　というのは一足先に帰った、モロッコの人たちのお陰でかなり助かった。彼らもフランスまでエールフランスだったからだ。私は、飛行機に乗るため、というよりも、ＰＣＲ検査がどういうタイプのものだったか知りたくて、いろいろ質問していた。あの「痛い」鼻奥ではないと聞いて、もしやるならそこのがいいな、と思ったりしていた。まだ帰ると思っていないころだったのに、カンが動いたのだろうか。彼らは、私がすぐにでも検査したいのか、と思って電話番号までくれていたのでそれで助かった。エールフランスの電話は出ないけど、検査場の電話は出てくれたからだ。モロッコの人たちは、検査の場まで親切に教えてくれていたので、とても助かった。プラド通りだった……。

こうして搭乗まで一週間を切った日程ですべてをクリアしてチケットも手配しなければならなかった。突然、ネックになったのはネットでチケットが買えないことだった。なんどトライしても、最後に拒否される。オカシイ……とうとうエルネストにホテルまで来てもらって、一緒にパソコンを見ながら＝この時は許可してもらった、やったが駄目だった。後でわかったのだが、キューバからはそのままではネットでチケットが買えない。そういえば、以前もそんなことがあった。つまりはカードの決済ができないのだった。それなら他の人や、旅行会社はどうしているかというと、特別なアプリを使って、居場所を限定させない、という方法を取っている。それがわかって、アプリを入れようとしたが「あなたの情報を全部見てもいいか」と言うような質問が来たため、憂鬱になってストップした。この上は、日本の友人に頼るしかない。旅行会社の人にも頼もうと考えたが、「高くつくから自分でやった方が良い」というそれは親切なアドバイスだったので、なんとかすることにした。幸い、日本で信用できる友人がいたので、私のカード番号まで教える、というやり方でエールフランスに電話してもらった。意外とあっさり出てきてくれた、と言っていた。

こうして、ハバナ〜パリ。そして、パリ〜関空のチケットが取れた。エールフランス便は関空着だったのである。ＰＣＲ検査の方法も、場所もわかった。ＰＣＲが義務付けられている便ならば、かえって安心である。残るは、帰国してから後、のことだった。まだ帰国する人がそんなに多くはない頃（パンデミックが始まった直後の帰国ラッシュが過ぎてから以降）。深夜に着くが、公共の交通機関を使ってはいけないので、そこをどうする？から始まって、家に帰りつくまで誰に助けてもらうかというのもあって、ネット上で調べることも含めてどこまでもやることはあった。

結局、関空と直接つながっていて、とても楽に入れる日航ホテルに一泊。ここのホテルは、空港着受け入れます、となっている理想的なホテルだった。その先は、なんと15年ぶりくらいの友人が富士山の近くから迎えに来てくれた。有難い……今、現在はこういうシステムがいろいろできてきたが、その頃はまだなにもないに等しかったし、ハイヤーなんてべらぼうに高かった。ハバナからの航空便より高いくらいだった。

こうして準備は整った。いよいよ検査をして、出るばかりである。

この頃の印象的な光景。ネットでチケットが取れずに、苦労しながらエルネストに手伝ってもらった時。彼はずっと付き合っていたスペイン人の彼女が「突然、他の人を好きになってふられた」と嘆いていた。あるよね、そんなこと。それもどこかで、コロナ禍とつながっているのだろうか、と思ったりした。思うように行き来できない状態。なんだか、切ないことがいっぱいあるな。

ＰＣＲ検査に出かけた日は、晴天だった。検査の日が楽しかったなんて、おかしな話だが、でも本当だ。すでに二番目のロックダウンになっていて、それでも大義名分アリ、堂々としたお出かけである。しかも、旧市街の一歩手前のプラド通りでは検査まで2時間半も待たされた。待た

ＰＣＲ検査待ちの人しかいないプラド通り

されたが、それでもその間、のんびり外にいられたのは楽しかった。プラド通りは、第一章で書いたように、ハバナの目抜きだ。幅広い通りがまるで公園のようで、気持ちの良い並木がある。私はそこで柔軟体操したり、プラプラと歩いて写真を撮ったり、近くにいたキューバ人のカップルとお喋りしたりしていた。例の、便の情報をくれたフランス人さんが親切で、自分で頼んだ友人の車に同乗させてくれた。それで行きも帰りも気楽にいくことができた。でなければまたタクシーがどうの、と苦労しただろう。気楽に行き、気楽に帰ってこれて楽だった。検査そのものは少しはドキドキしたが、喉奥ぐるぐるの検査だったために、まったく痛くはなかった。しかし、おえっとなりそうだったので、「あ〜、あ〜」と声を出していたら、珍しかったのか笑われた。検査が終わり、帰る時にやはり緊張していたのか、ほっとして、1センチの段差に躓いて、ととっとなり、皆に「あっ」と言われた。なかなかに注目度が高かった。だからと言って別に喜んではいない。

しかし、検査の結果が出るのは空港で、というのには参った。そこでダメだったら、差戻し？なので、大丈夫とは思ったが、万一陽性だったらすぐに便のキャンセルが必要で、それは予約したところでしかできない、とのことだったから、またしても日本の友人に頼るしかなかった。幸い、こちらの便は深夜だったから、日本は朝。「アウト」となった時にはすぐさま、メッセンジャー電話するからお願い！　と頼み込んで、準備万端。しかし、思い返してもやはり大変だった。この当時、空港にWi-fiがあって、本当に良かった。

ハバナ・リブレで過ごすのも、あと数日、となった夜。10人以上のフランス人が、チェックインしてきた。皆、私と同じ便に乗るのだ。ギターをもった人がいたので、話しかけた。今さらだけど。でもなにか弾けるなら一緒にできるかな、などと思ってみたけど、エレキでロックぽいのしかやらないと言っていた。アウト。

それでもこの彼と、その頃、突然話すようになっていたベネズエラの映像作家さん、そんな人がいたなんて知らなかったわ、と3人でプールサイドで飲むことにした。私たちの他は誰もいなかった。シーンとした夜のプールサイド。あんなに賑わっていた頃が嘘のように静かだった。ハバナの空に満ちる光も、吹く風も変わっていないのに、人の風景だけが変わってしまっていた。

プールサイドでカードゲームに興じていたイタリアンのグループも、国に帰れなくなった、と難いていた小父さんも、私のことを好いていてくれたらしいジャニも、僕の部屋で歌いたいなら、と突然誘ってくれたハンサム君もいなかった。どっと大波のように大量にやってきて、素早く去っていったアルゼンチンの人たちも、皆、いなかった。マーシャルこと、ヨルバのオルショラ青年もいなかった。皆、消えてしまった。

そうだ、ひとつ印象的な思い出がある。このプールサイドのすぐ近くで「僕の写真を撮って」

と言った、あの押しの強いアルジェリアの人。モロッコ人の彼女をさぁっともっていった彼。あの二人のうち、モロッコの彼女の方が一足先に帰っていった。その先、どうする、というような約束はしたのだろうか？　それはさっぱり知らない。しかし、その後の彼の顔つきがまったく変わってしまったのには驚いた。まるで別人。モノ想う男の顔になってしまった。彼女が帰る以前から、人に対する態度も、穏やかで礼儀正しくなっていたし、なんだかいい人じゃない？　というほどに変っていたけど、彼女が消えてからはいつも一人で携帯をいじりながら、彼女とメールをやり取りしていたのか……憂愁に満ちた表情を湛えるようになった。私が通りがかると、気持ち良い態度で、目顔で挨拶を送ってくる。人って変わるんだなぁ、あれほどの違いを短期間で見たことも珍しかった。いい思い出だ。

美しい夕焼け、そして「ヨーグルト探し」の規則破り

また、私が幽閉生活をしながら過ごした何か月かで、もっとも印象に残ったシーン。それは、一回目のロックダウンの明けた日だった。美しい夕方だった。日曜日、私も外に出てみた。行く先はマレコン通り。そこには、たくさんの人たちが喜びにあふれて出かけていた。友人同士、家族連れ、恋人どうし。いつも誰かといるのが大好きな彼らが、心置きなく人と会っているそんな風情に満ちていて、言葉にできないほどに美しかった。しかも夕日！。なんと美しかったことか。あれほどの美をマレコンが湛えていたこともないほどだった。ひたすら感激しながらシャッターを押した。しかし、その時は携帯の写真だった、というのも、その頃のキューバはかなり写

ロックダウン明けの日。ホテル・ナシオナルの前の私

真に対してぴりぴりしていて、大きな一眼レフでは撮りにくいような状態だったからだ。そして、その後、私はこの携帯を失くした！　痛かったけど、仕方ない、と思っている。あの光景は、私の目と記憶の中にだけしかないのだ。そして、たまらないほどの美しさだった。言葉にするべく、神様がとっていったのかもしれない。ＳＮＳにあげたかったけど、きっとどこかで使う、とおもったからあえて、自分の写真しかアップしていない。マレコンの、ホテル・ナシオナルを背景にした、夕日を浴びた写真。それしか残っていなくて。そして、皆の幸せそうな様子。そして、それはほんの一ヵ月しか続かなかった儚い自由の時間だったけど。

好きに出歩き、人と会える、そんな日常が蘇ることがあれほど嬉しかったのだ、そんな想いがいっぱいの情景と記憶だ。ありがとう、という感謝しかないような、そんな光景。

そして、またロックダウンは来て、私も幽閉生活に入った。しかし、ずっとこもってなんかいたくなかった。私は、いろいろと知恵を働かせて、ホテル外にでることを考えた。「買い物に行きたい」と言えば出られた。

「どこに行くのか」とは訊かれた。もう適当だ。しかも、相手は最近入ったばかりの新米さん。

ホテル・カプリの向かい側にヨーグルトを買いに行きたい、と言った。ちょっと不思議そうにはされたけど、「わかった」と言って連れ出してくれた。なるべく離れた場所、ただし、あんまり離れては無理だ。私はホテル・カプリの近くのジュース屋さんを知っていたので、そこへ行く、と言った。実はハバナではヨーグルトは簡単に買えない。そんな事は知っていた。わざわざ、難しいものを選んでいる。そうすると別の場所にも探しに行けるからだ。

ないね、と言って23通りにぐるっと回る。実は、この彼、まだ若いし、物凄く背が高い。で、けっこうハンサム。それはいいのだが、歩くのがものすごく早い。私はできるだけ長く外にいたいから、ゆっくり歩きたい。「お願いだから、ちょっとゆっくり歩いて。あなたと私の脚の長さは、ほらこんなに違う」と実際に指し示す。わりと無表情な彼は、頷いて、なるほど、というように少しだけゆっくり歩いてくれる。

23通りの店にだって、ヨーグルトなんてない、とわかっているけど、散歩したいからわざわざ回ってみる。ないね、もうそこからは帰るしかない。でも、ちょっとだけ振り返って見る。この日もマレコンに夕日がきれいだ。「わあ、綺麗！　見て！」と言う。彼はちょっと、お義理のように振り返って、その時に悟る。「あ、この人は、ヨーグルトなんか欲しくはないのだ、歩いていたいだけ」

それでもホテルには、着いてしまう。「ありがとう……またね」

「はい、また。明日もまた、ヨーグルトを探しに行きましょう」

Ⅳ 「SOSキューバ」はしかけられた!!　2021年7月〜

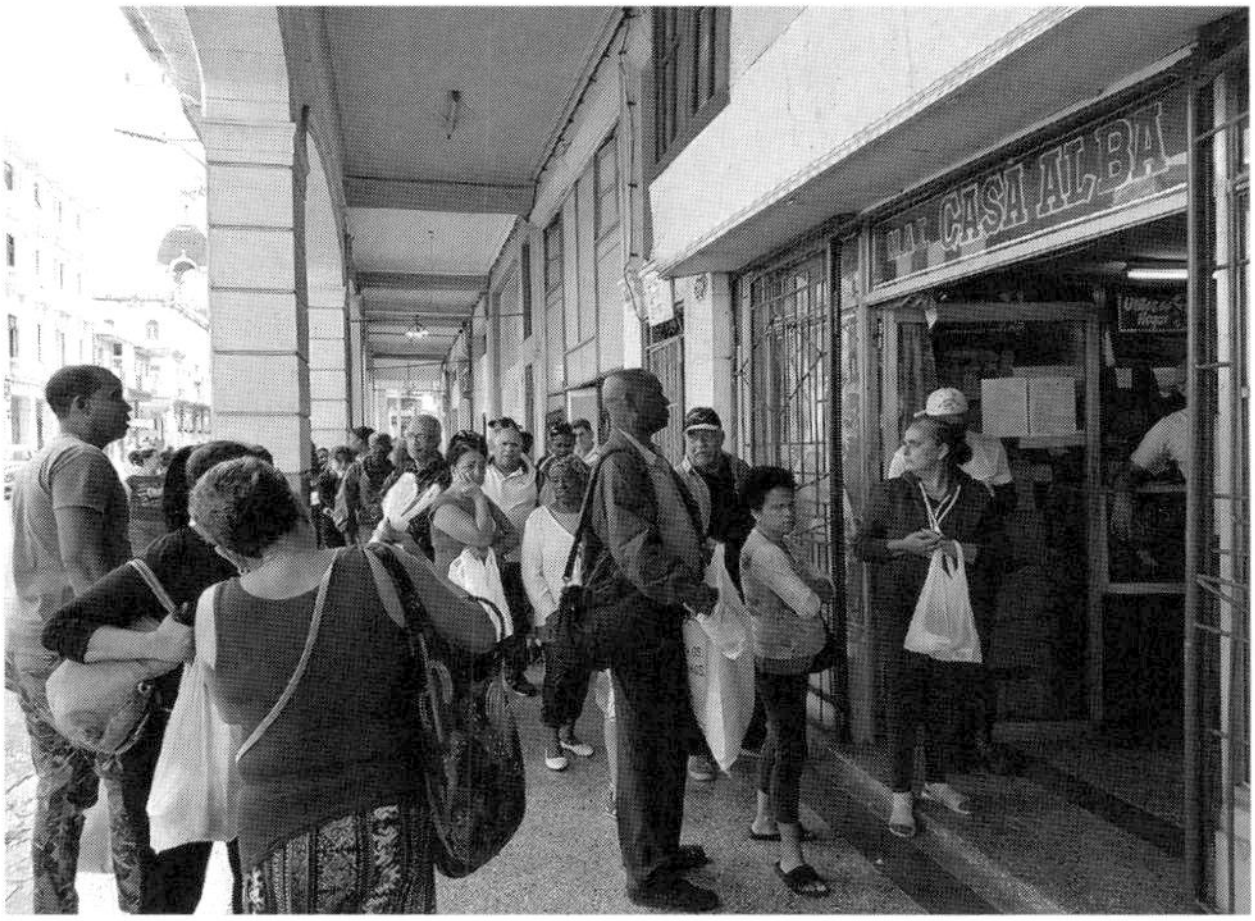

石鹸が安く買える日（ロックダウン前）

本当は、前の章で終っていたかった。夕日の中の、美しいヨーグルトの一言で。しかし、見逃せない事件が、その後、帰国してから一年近くの後に起きた。

２０２１年7月11日。キューバにまつわるあるニュースに震えが走った。「抗議行動が起きている」「何が起きているの？」それさえ掴めず、ニュースをキャッチした人々は、不安と気がかりの真っただ中に放り込まれた。それは「SOS CUBA」という一言により世界を駆け巡った。

この、いかにもキューバのシンパを思わせる、ＳＮＳ上で流された一言は、実はある「たくらみ」が隠されていた。一歩間違えば、危なかった。しかし、キューバはなんとか持ちこたえた。以下では主に、キューバ政府発表の情報に、その他、現地の方たちからの情報も加えた。

事の次第はこうである。

最初の兆候は、これに遡ること一ケ月近く。6月15に発信された「SOS CUBA」だった。時は、国連で毎年行われている決議の直前。この決議とは、この年で29回目になる「キューバに対する米国の経済封鎖解除」の申し立てに、賛成するか否か。つまり「賛成する」は、「やめるべき」に当たる。決議そのものは、予定どおり23日に行われ、世界１８４カ国が賛成、つまり解除を求め、米国と、イスラエルが反対。棄権が３カ国になり、ほぼ例年通りの結果を得た。

この時に発信された「SOS CUBA」は、決議そのものがなされることを妨害するものとして計画された、とされている（駐日本大使館経由のキューバ政府の発表）。つまりこの時の妨害は、不成功に終わった。過去、米国は常に反対の立場をとっているが、唯一、オバマ政権の時代、２０１６年に一度、初の「棄権」に回ったことがある。もしこれが続けば、「大国の顔色を見ながらの行動」を余儀なくされている棄権票の国の投票も変化した可能性はある。しかし、翌２０１７年にトランプ政権に替わって後は、再び冷却が3年間続いた。というのも、２０２０年はコロナ禍によって、投票は行われなかったからである。

ところが、冒頭に記した「仕掛け」は7月の初め（7月5日以降）に再度実行され、人々が路上に出たXデーは、7月11日だった。（またしても11日だ）

以下、キューバ本国が発表したものを、駐日本大使館からの情報として得た内容に、またキューバ在住の友人から得た内容を足したものである。

再び「SOS CUBA」が、ＳＮＳ上の呼びかけとして発信された。いかにも、キューバに社会的危機が存在するかのように見えるもの、つまり一種の仕掛けられたキャンペーンが繰り広げられた。そして、実際、キューバ国内でも路上に出向き、「抗議行動」を起こした人たちもいた、と言われている。

この人たちは、大まかに分けて二種類になる。まずは、このキャンペーンに最初から「繰られて」いた人たち。幸いにもほんの一握りであったが、暴力的行為、つまり車をひっくり返したり、店舗でも略奪を起こしたりした人の多くは「金で繰られた」人もいた。これについては後で詳細する。

あと一つの人たちは、この一種「抗議デモ」とみられるものに、同調した人たち、もしくはしてみた人たちである。「みた」とあえて書いたのは、この人たちの中でもさらに二つの動向があるからだ。

一つは、さらに少数派の一握りになるが、本当に「政府に反対したい」と思っている人たち。実際にいるのだから、無視してはならない。また、もう一つは、単に一緒に出てみた、人たち。その理由は大小さまざまにあるに違いない。なにしろ、長引く経済封鎖によって、キューバには常に生活の困難が付きまとっている。ここでそれを詳述はできないが、モノ不足、買い物の長い列、電力の不足による停電など。それに加えて、今回のコロナ禍である。キューバの人たちは、もともと人なつっこい、皆でわいわいがやがやするのが大好きな人たちである。この時期、すでにロックダウンはされていなかったが、それでも「集まり騒ぐ」ことは憚られる状況が長い。これなどは、まったく日本でも他の海外でも同様で、それに対する鬱憤はすべての人が持っている、と言っても良いだろう。そんな状況の中で「出てみる?」となった人たちがいても、なんら不自然ではない。「単に出てみた人たち」がたくさんいたことは、撮影された写真や動画を注意深くみればよい。カメラに向かってピースサインをする人、手に手に携帯電話を持って動画撮影する「参加者」。談笑しあってのんびり歩く人。それがこの世界で報道された「反政府デモ」とやらの実態だった。

この騒ぎは、しかし一瞬真の緊張を孕みながら、あっさり翌日には収まった。

ではなぜ、このようなめったにない状況が、突如キューバで出現したか。キューバが現在のキューバになってから、初の現象だったか、と思えたが１９９４年にも一度、抗議行動が起こされたことはあったらしい。その時期は、知る人ぞ知る、ソ連崩壊後のキューバの大きな経済的な危機の真っただ中、ピークを迎える頃である。それ一回だった。それほど少ない現象の一つが今回起きた、正確に言えば「起こされた」わけである。

サイバー空間でなされた件の「SOS CUBA」は、ほぼ大多数の発信元が米国であったと、キューバ政府が発表している。これは、私の想像であるが、6月15日に最初の発信があったすぐ後からキューバ政府は調査をはじめていたのではないか、と思う。その後の発表までの素早さや詳しさから見て、である。

11日に「抗議行動」が起き、すぐさま大統領のミゲル・ディアスカネル氏の演説。翌日には沈静、そして、その翌日13日には、ロドリゲス、キューバ外相による、発信元などの発表があったわけだ。恐ろしいほどの素早さである。内容はこうだ。

以下、キューバ政府発表。

SOS CUBAの発信は、米国のサイバー空間から発信された。架空のアカウントや、AIロボットによる発信で、高度な技術により、計画され発信されたものであった。これは、11日に先立つ9日、膨大な量、キューバにも発信され、なんと2日間で1000ツイート。つまり1秒間に5件にあたる。発信元も、その60%がキューバにあるように操作されているが、発信の大半は米国内にあった。

7月9日の発信は、数10のアカウントから行われたが、自動化された高度なもの。〈嵐の農場〉と呼ばれ、驚くべき速度で拡散されるもの。米国のサイバー空間にあるアカウントから発信されたが、それらは、主権のもとにある装置、一部テロと関係のある会社やグループから発信されている。フロリダに登記されているアメリカ企業からの発信があり、その会社は州国務局から資金援助を受けるための証明を受けている。

と、外相はその証明書のコピーも提示した。証明書発行の日付は「奇しくも」6月15日。

再び、外相の発表。

「この会社は、ハイテク、社会科学、通信の研究をしながら、世論を操作する企業やグループ、メディアと連携して活動してきた。これらの会社は、キューバにある架空の独立した機関と重ねあわされている。SNSによる呼びかけでは、テロ行動、当局への攻撃、大統領暗殺までも含んでいた」

彼らが、なにを目論んでいたか。

まず、遡ること過去4年間に、つまりトランプの時代に、封鎖に関して新たに243項目もの封鎖強化対策が付け加えられた。これは、１９６０年、封鎖が始まった時になされたレスター・マロリーの覚書そのままで変化していない。「経済的に悪い状況を作り出し、物質的困難を生み、飢えや渇望、不満の冗長により社会的不安定を促し、人々を分裂させ、さらには政府を転覆する。これは最大限秘密におこなわれなければならない」（ぜんぜん秘密ではなくなっているが）。

米政府は、この計画のために、過去数年間で何億ドルも資金を注ぎ込んできた。あたかもキューバに社会的危機が存在するかのように喧伝し、実際に暴力的な行動を起こさせ、その上で自分たちの国、この場合は米国であるが、兵力の介入にまで漕ぎつける。それは「人道援助」という名の軍事介入、というシナリオ。実際に今回、マイアミで「キューバに軍事介入を推進するキャンペーン」で5万人もの署名を集めた?!

その数字はどこから出てきたかわからない。しかし、もしいたとしたら恐ろしい話である。一般のキューバ人は、だれも政府転覆を望んでいない。もしあったとしても、その後に一体誰がこの国を仕切る？ それがもし、他国、つまり米国のキューバ介入であれば、キューバという国を失うことになる、というのは誰しもが知っている。人道介入という名の軍事介入は、過去、世界各地で行われた、ユーゴ、ベラルーシ、グレナダ。すべて、「人道介入」という名の混乱と武力介入、そして人々の混乱とさらなる飢餓や分裂、闘いと死。政治的制圧と実権の掌握、搾取。

キューバの路上での「行動」が起きた直後にディアスカネル大統領の興奮した様子の動画も頷づける。あれほど頬を紅潮させて「熱くなっている」氏は初めて見た。当然である。デモだけではなく、自らの暗殺まで含まれていたのだから。しかし、「革命を成功に導き、現在のキューバ政府を樹立したリーダー」、フィデルの場合は600回の暗殺計画があった、と言われている。時にはその10倍だった、とも。そのすべてが未遂に終わったのは奇跡だ。

この日のミゲル氏のテレビ演説はまず「介入は許さない」というメッセージから始まった。的を得ている、それこそが相手側の意図だったのだから。また、「政府を支持する民は、路上に出て騒ぐ輩を阻止してくれ」というもので、これには当初驚いた。それをしたら、キューバの人々が二つに分裂してしまうのではないか、と。しかし、それは私の勝手な心配だったことは、後にわかった、幸いなことに。政府支持のキャンペーンやデモは過去にもいろいろと行われていて、こういう状況ではなくても。たとえばメーデーへの参加も「義務」ではないにしても、「行かなくちゃね」的なお付き合いの中で進展してもいる。キューバの人たちもそれはわかっているから、たとえ自分が携帯をもって街に出た組で、もしくは出てみた組で、お隣の人が「政府支持キャンペーン」に参加していても、それぞれの役割の違い、のように感じていて仲間割れするほどに進展はしない。また、そもそも「政府を倒したい」と思って街にでたわけではないから、衝突のしようがない。ディアスカネル氏の演説の後に、整然と並んで行進する人々の姿は、政府を支持する呼びかけ、それだ。これは主に、キューバの外から見る視線のためになされた、ともいわれている。

一方、キューバ国内で「繰られる」ことに参加してしまった人。「出てみた」大部分の人ではなく一部の人たちには金による買収もあった。

以下、キューバ在住の人の情報。

「金もらっていたらしいけど、送金が難しい状態だから、携帯へのチャージで払ってもらってもいたらしい、セコい！ それと、なるべく大変な状態だと見えるような動画を撮影すると、お金がもらえるという噂もあった」という。

私の友人の言。「ほとんどの人が野次馬だった」。野次馬、というと言葉は悪くなってしまうが、「出てみる?」派は、手に手に携帯を持ち、撮影に熱中していたから、中にはそういうものを目当てにしていた人もいたかもしれない。しかし、おかげでいわゆる報道ではない動画もたくさん目にすることができた。

あれこれ、不思議に思える動画もあったので、その都度、キューバ在住の友人にも尋ねてみることになった。その人とて「すべてが分かる」わけではないが、たいていの報道が「大変そうな所ばかりに偏る」という現象からは、離れた状況を見ることができた。

「整然と並んで、しかも今の時期、ディスタンシア、つまり距離を保って行進した人たちって?」

「そんなに整然としていてたら、それは政府支持行動の人たちでしょうね」

一方で、とても不思議だった光景。何台ものパトカー。その正面からデモの人たち。さほどの数ではない。一見するとパトカーのほうがずっと強そうだけど、デモ先頭の人たちが2〜3人、とくにものすごく体格のいい男がパトカーに向かって走り出すと、なんと、パトカーが後ずさり、そしてUターン。なんとも可愛らしい行動をとった。

「あれは何故？　人々と警察が衝突しないような指示でも出ているの？」

なにしろ、「キューバで騒ぎが起きている、大変だ、人々が怒っている、そして警察がそれを抑え込んで暴力を奮った、そら介入だ」という筋書きがあるのだから、「衝突するな」という指示が出ていてもおかしくはない。しかし、友人の意見はちょっと違った。

「そうねえ、パトカーといえども人の子、襲われるのが怖かったんじゃないですかねぇ？」

え、ホント？　なにしろあちらは常にキューバの実感にふれている人だ。それも正しいのかもしれない。しかしこれは双方とも「想像」の内だ。

また、見ていて「キューバだなぁ！」と思ったもの。なにしろ、ほぼすべての動画は「一部始終」ではなくて、なにかが起きて、警察が「抑え込んだ」ところばかりである。それ以前のシーン、なにをして抑え込まれたか、が写っていないので、なんともいえない。それはどこの国でもほぼ同様であるが。そうして、警察に抑え込まれて、道端に倒れた男。二人の警官は、彼を置いて去ろうとするが、一瞬の後に戻ってきて彼を起こそうとする。「オラ、バモ、バモ」と言っている。バモ、はスペイン語で表記すると、Vamosで、「行こう」というキューバ独特のSが抜ける発音。さあ、起きて立ち上がって行こう。と言っているわけだ。殴ってはいるけど、どこか優しい。

なにしろ、今回の出来事で、とても多くのキューバ人が「衝撃を受けた」ということは、「警察が市民を殴った！」という事だった。「警察が？　僕たち市民を殴る？」それが事件になる国だ。いかに今まで、暴力がなかったか。また、キューバの警官は「銃を持っていない！」

しかし、今回の動画では、屋内に逃げ込んだ相手を銃を構えて追うシーンは観た。あれは特別許可だったのだろうか、わからない。しかし「簡単に銃弾が発せられて、抵抗した人が殺されてしまう」国とはわけが違う。これがキューバである。一般人も銃の所持は認められていない。以前、兵役（あります）についていた人の話。「銃の保管庫のガードをやらされていたけど、物凄く厳重に守られていて、大切な仕事だった」。そうやって銃の普及がされないようになっている。

また、これはキューバ在住の人の話。「私の夫は政府関係の仕事しているので、と言ってもバス関係の仕事だけど。ミゲル・ディアスカネル氏と、ラウル・カストロ氏が、騒動が収まった後に二人並んで街頭で演説した日があった。その時に警備に駆り出されたのだけど、持たされたのは（自衛のための？）木の棒切れ２本だった、と笑っていた。ああ、キューバ！と思わざるを得ない。

こうして、一瞬、ぱっと燃え上がった事件は一日にして去り、「ハバナの通りはいつもよりさらにシーンと静まって、いつもより警官が多いような状態になった」だけだった。

ハバナの友人いわく「もう平常とおりだよ。今朝なんか、僕の家の前に止まっていた車から朝早くに大音量の音楽が流れてきて起こされちゃってさ。キューバ人は、深刻なことよりも、楽しいことや、（中にはエッチなことなども）考えているほうが好きなんだ」と。あくまでジョークをかましていたのだが。

この冗談めかしたＳＮＳ発信者は、某、友人の音楽家さんである。とても頭が良くてシリアスな時は、ちょっと理解しがたいような難解な表現もつかう人だが、ここではとてもくだけている。

たぶん、人々の気持ちを和ませたくて書いたのではないか、と想像している。そう、このように、キューバにおいては、音楽家や、アーティストなどの表現者の言葉や対応は、とても大きなメッセージとして、人々に受け取られている。注目されているのだ。

この時にも、数多くの有名アーティストが、SNSで発信した。ほとんどが「立ち上がった」人々に寄り添う発言だが、だからと言って必ずしも政府批判をしているわけではない。人々に対して、「気持ちはわかる、僕たち、私たちは、君たちと共にいつもあるのだから」といった調子だ。これは、政府にたてつくわけではなく、人々と政府の間の緩衝地を作っているような効果もある。少し以前の、「社会的メッセージを含めたヌエバ・トローバ＝新しいトローバ」の時もそうだった。人々は、世の中への不満や不安を代弁者的に歌ってくれる音楽家さんの歌を聴いて「理解者がいる、ともに存ってくれる大きな人の存在」があることに安心感も抱いていた。つまり、政府にとっては、彼らの存在も有難いものだったのである。

それと同じとは言わないが、人々の気負った気持ちを理解しながら、なだめる方向に向かう表現者たちも存在した。逆に、なにも発信しない音楽家やアーティストに対して、人々は、何故なにも言わないんだ?と、SNS上で詰め寄るようなシーンもあったという。

しかし、この当時のちょっとしたプロパガンダになった言葉があった。革命当時の標語「祖国か死か」をもじった言葉。「祖国か、生か」。僕たちは、生きることに精いっぱいなのだ、という意味でも含むのだろう。しかし、強調しておきたいのは、音楽家さんたちは、やはり、「この言葉まで書く人はいなかった」ということだ。

なにしろ、ずっとある程度の大変なことが続いているにもかかわらず、いつも明るく元気で陽気に暮らしているのも驚きだし。他の国の人よりも「元気でしょ」とも思うし。人と仲良くしたり、頼まれていなくても世話焼いたり、頼まれたらいよいよ世話焼くし。だから平和で暮らせるのよ。音楽や踊りも素晴らしいから、それが人々を解放するし、生きるエネルギーになっている。見倣うところは、多し。

この事件の後、いきなり、コロナの感染が拡大してしまい。この「デモ」がきかけなのかどうかは、不明なのだが。それを心配して、多くの人が本当の意味での「ＳＯＳ キャンペーン」を始めた……この言葉はしかしながら今は使うべきではないかもしれないが……。

時は、ちょうどオリンピック。賛否両論の中、日本では強引に開催を推し進めたが、それでも来日中の選手団は、とても貴重な人たちであり、必要な医療物資を運べる人たちでもあった。なにしろ、通常の郵便物がキューバには届かない。それでも米国にあるＮＧＯは、なんらかの手段で注射針を何百万本も、コンテナで輸送し、ロシアからは飛行機一機がキューバ目指して飛んだ。(この頃はまだロシアのウクライナ攻撃は始まっていない）日本からはそうはいかない。もどかしく、歯がゆいが、それでも有志の人々から多くの医療物資が選手団60人に預けられた。

しかし、なかなかに思うようにいかない状況の中、こちらが、どうしたらいいかなぁ？と頭を悩ませて、落ち込んでいる時に、某ファンキーな音楽グループの人が「スペインから、肉ありがとう！」と陽気に歌っている動画を見て、聴いて、「あ、負けた」と思った。元気じゃなくちゃ、生きていけない！　元気だからこそ、楽しい！

楽し気で元気な歌と踊りの数々。そんな動画に触れるたびに、「あ、そうだ」と気づかされる。キューバからは、常に、どんな状況にあっても、多くの生きる力を学ばせてもらう。

それこそが、私がキューバに通う理由であり、世界の人々がキューバに魅せられる理由でもあるのだから。

ＶＩＶＡ　ＣＵＢＡ！

追記　一年後

そして、一年が経過した２０２２年。振り返りの仕草もやはりあるにはあったが、一年前のようなことには至らなかった。だが、思いのほか多かった、逮捕者。そして、もっとも重い刑が「禁固25年」であることを受けて、それはあまりにも重すぎるのではないか、という批判も人権団体から出されている。一年前のあの事件は、やはり単に「出てみる」だけでは終わらなかった、一件となった。

V　そして、その後の事　今

マスクの若者たち。2020 年当時。
2022 年には、もうほぼしなくなった

強まった感受性?

コロナ禍になって、自身にどういう変化があったか、と考えている。

一つは、感受性、感情。とても強くなった。それは、もろもろの事件が起きているから、それに対応する感受性が強まりを見せたのだろう、と思う。これは誰しもがあったことなのではないだろうか?

だが、「おや?」と思ったのは、その感情の中でも、悲しみが不意に訪れる、というそれまで体験しなかった現象が一時期起きたのだった。

私にとっては、その最初はキューバにいる時だった。幽閉生活の中で、ホテルの部屋で一人。ある朝、目が覚めると特に何事もなかったのに、突然悲しみがやってくる。

これは、いったい……? 考えた。すぐに自分なりの答えらしきものが欲しくて、その時にあった回答は

「これだけ多くの人が、世界中で亡くなっているのだもの。悲しくなって当たり前じゃない?」

そんなものだった。ある意味、当たっているかもしれない。しかし、一方では、そんなものだけではないはず、と感じていたことも確かだ。

ああ、私だけではなかったのだ、と分かったのは日本に帰国してから。ある若いカップルの夫の方の投稿で、「妻が時々、なにもないのに泣き始める」と書いていた。「ああ、やはりいるんだな」となにか仲間を得たようで、ほっとするような、嬉しいというのも変だが、私だけではない、

という安堵感を覚えたものだ。

どんな悲しみかと言うと、そんなに激しいものではなく、静かで穏やかな透明な水のような、と言えばよいのか。すぅっとやってきて、しばらくするとこれまた穏やかに去る。そんな感じ。

きっと心の専門家に尋ねたら、なにか言ってくれるか、現象としての名前もあったりするのかもしれないが、私は勝手に「これは自分自身を護るための手段なのかもしれない」と、思ったりする。こんなふうに言うと、あまりにも具体的になり過ぎているかもしれないが。いろいろな、初めての体験で、必ずしも大変なことばかりではないにしても、知らず知らずのうちの緊張感やら、不安やらを抱えてしまう。そういったものをすぅ～っと流してくれる悲しみ？ そんなものではないかと。そして、一方ではやはり、「多くの苦しむ人、亡くなってしまった人へのシンパシーなのかもしれない」とも思う。つまりは、強くなった感受性の一つの表れだった。「悲しみよ、こんにちは」サガンの小説のタイトルだ。悲しみの意味は多分に違っている。しかし、自分に寄り添ってくれるような悲しみ。もしかすると、ある種の安定感も与えてくれるかもしれない。

「泣けば流れる甘い涙に、僕の心は軽くなるのさ」はゲーテの詩の一説。これはたぶん、恋愛がらみ、だから甘い。でも時にやはり、悲しみ、涙も、人を癒すことがある。そんな新たな発見もあった。また、その後、「モーニング・メランコリー」という言葉もあることを知った。まさに今、書いたようなものだが、特別なものではなくて、ある種の「自然現象」なのだという。それならそれで、逆に心配することもなくて、有難い。

変化する季節、そして、憎悪

一方では、この原稿を書き足している２０２２年、コロナ禍が始まってからすでに2年以上が経過している。その最初期と、今ではそうとうに事態も変化した。しかし、始まった当初の強い印象は忘れることができない。その中の一つが、ある現象に対する、憎悪。本文中にも書いたが、再度、自ら検証するつもりも含めて書いてみる。

ヨーロッパの某国において、(本文中、ご参照。けっしてその国を批判したいわけではないのでここでは繰り返さない)感染の突然の上昇により、すぐさま医療崩壊が起きた。同時に「切り捨て」が始まった。高齢者に対するものである。

姥捨て？　姥では女性だけになるが、もちろん男性も含む。子供の頃、この世にそういうシステムがある、もしくはあった、と知った時の驚きと衝撃も思い出した。「人間って、そんなに残酷なことができるの？」。それと同じ衝撃だった。高齢者の切り捨て。いわば、コロナつまりCovid-19感染症の特徴的な部分、つまり高齢者や基礎疾患のある人が、もっとも強く影響を受けることを、人間社会でも踏襲してしまった現象だった。その国の国内で、それに対する批判があったか、どの程度だったかまでは把握できていない。たぶん、あったには違いない。だが、一方では、ある65歳だったか？正確な年齢は覚えていないが、罹患した男性が「私はもう年である。私の治療ではなく、若者の治療を優先して欲しい」と言い、それが感動的な美談のようにも語られた、その事もまた別の衝撃だった。そうしたくない人は、どうすればいいの！　まるで、自らの命を捨てるのが美徳のような。「嫌だ」そんな社会は。はっきり思った。これに対する、これまた感受性や考え方は人によっても差がでる所だろう。

なにしろ、コロナ禍が起きてからは、人と人とは、考え方が違うのだ、と納得せざるを得ないことの連続だった。そのことについてはまた後で書くが。

この時に感じた「嫌だ！」は、ある強制力を持つものに対して反駁する気持ちにも通じると思う。これまた、コロナ禍の間、ずっと続くテーマでもある。この疫病は、なんと多くの事を人に考えさせることか。

そう、高齢者の切り捨てに関する、想い、感受性。そんな切り捨てはあってはならない、と今も思っている。何故なら、すべての命は、同等に尊いもの。そして、人間界ではそう扱うべきもの、だから。何故なら、人間は、単なる野生生物ではないのだから。しかし、このウィルス自体が、若い層よりも、高齢者をアタックする。まるで「そろそろこの世から消えろ」とでも言うように。また、基礎疾患などを持つ人にとっても不利だ。これは自然現象そのものなのだが、ふと、野生の動物が「弱っているもの、病いを持つものを狙って仕留める」という法則にも通じるようで、人間が勝手に野生化しているような嫌な違和感も覚えた。

このことについては、帰国した後、かなり経ってからのある若者の投稿に対する驚き、違和感、憤り、にもつながる。それはまた後で書こう。

高齢者や、基礎疾患のある人が不利、というのは、ワクチンに関しても同じであった。この2年間、ワクチンが登場する前と後とでは、人々の意識の集中点は、かなり違ったと思う。ワクチンについても、また後で書く。

考え方の違いをこれほど強く感じたことはなかった

学校に通っていた頃。中学生だったか、高校生だったか、忘れたが。初めて

「Agree to disagree」

というフレーズに触れた時の驚き。意見の相違を観ながら、お互いを尊重し納得する、という意味で良いだろうか。そんなことが可能なのか！　と唖然とした。ごくごく一般的な言い方をさせていただければ、どちらかと言うと、日本人にはちょっと苦手な分野なのではないだろうか。

この日本人的気質の現象を、コロナ禍の中では「同調圧力」とも言われたものだ。同じにならなければだめよ、の圧力。それまでは、さほど頻繁に使われたことのない言葉だった。

しかし、一方では、「意見の相違をわかりながらお互いを尊重する」ということも、コロナ禍が始まった当初よりも、現在のほうが安定をみたように思う。こういう考え方や、人との接し方、というものの洗練を受けた人も増えているのでは、と思う。

その洗練と言うのか、練磨は、まさにCovid-19によっていよいよ強くもたらされた。驚くばかりに、人々の意見が相違している。そんなことに気づいた人も少なくないはずだ。

どんなことか、と言えば、枚挙にいとまがないほどだ。

高齢者を切り捨ててよいのかどうか……この点は、私ははっきり良いわけがない、という意見だが。自粛生活をすべきかどうか。この点の日本の状況の当初のものは、実は私は身をもってわ

かっていない。キューバにいたからだ。キューバでの感染者の発生は、日本より二ヶ月近く遅かったが、あっという間に「自宅待機」の条例は出されて、特に外国人は完璧な外出禁止状態に入った。それに対して私はさほどの不満を覚えてはおらず、何故なら、帰りたければ、すぐにでもキューバを出て自国に行く選択肢もあったからだ。乗れる飛行機をキャッチする大変さはあったが、それでも「籠る」方を選んだ結果である。

そのうち、日本でもいろいろな状況が生まれてくる。マスク問題。「皆を慰める」というほぼ驚きでしかない方策としての、自衛隊の戦闘機による編隊飛行。さらにはGO‐TOキャンペーン。今はもう過去のことにしか思えないほどだが、オリンピック、パラリンピックをするかしないか。一回目はほぼ選択の余地もなく、さらりと延期されたが、二年目に関しては日本の七割の人が反対を唱えていたにも関わらず、実行された。まったく見なかった人もいれば……私はそれだ……反対だけど、始まったら観ちゃった人……この辺りから人それぞれである、という感覚はいよいよ強まっていく。終われば、やっぱりやってよかったになってしまう人。非難するつもりはないが、生き方として流されやすい、とは思う。

ここで少しでも、私の意見をいれれば……もういれているが、どこかから、非難ごうごう、が聞こえてくるようにも思う。

できるだけ、「どんな現象で意見が分かれたか」という点では、私は霞になって書こうとも思ったが、やはりある程度は書いてしまう。

オリンピック、パラリンピックと同時進行で、ワクチンを打つか、打たないか。この選択は、恐ろしくシリアスだった。自分の命を守る選択を自分でするのだから。こんな時代がくるとは思わなかったよ、というのがあの頃の本音だ。

このあたりで、「同調圧力」の息吹はいよいよ強まる。

自分でする命の選択のシリアス——ああ、ワクチン！

「いや、そんなに考えなかったよ」という人もいるかもしれない。打つもんなんだよね、とさらっと打ってしまった人。別に否定しているわけではない。しかし、正直言って、私の周囲にはあまり多くなかった。皆、必死で「打つか、打たないか」の選択のために調べ、意見交換し、決心してどちらかに行く。

当初は、私の周りはどちらかというと「打ちたくない」人の方が多かった。理由は危険度だろう。いったい、どんなワクチンなの？　通常、ワクチンはかなりな期間の研究とテストを実施した後に打たれるものだ。しかし、今回世界に広まっている対SARS-CoV-2ワクチンは、少しでも早くパンデミックを終わらせようとばかりに、また、パンデミックを押さえたいために、出来立てほやほやのワクチンを世界で使用する、という異例の出来事でもあった。

「許可はまだない」状態で。

なにより、ワクチンの危険をもっとも受けた人は、ワクチンによって命を落としてしまった気の毒な人たちである。私の気持ちの中では、マックスに気の毒、と感じる人だ。何故、命を守るために打つもので、死ななければならないのか！　これは今でも、とてもとても悔しく、悲しい出来事の一つだ。

医療の現場にいる方たちは、他の人と比べて遥かに感染の確率も高いから、必然的に打つしかなかったのかもしれない。しかし、そんな中でも打ちたくない人もいた。そして、拒否もできるが「仕方なく」打った人もいて、そして不幸なことに亡くなった人もいる。なんという出来事か。

これに関しても、さまざまな感受性があることに気づく。それは、他者に対する感受性ともいえるだろう。

本来、ワクチンは、その人自身を護るためのものである。しかし、パンデミックに関しては、別の思惑もついてくる。皆が打ち、多くの人が免疫を持ち、そしてパンデミックを抑えられるというのが、ワクチン接種の始まった頃の定説だった。しかしもその後「ブレイクスルー」つまり、ワクチンを打っていても罹ってしまう現象が出てきて。しかし、罹った場合の重症化は防げたのだろうか？　そのあたりの「正確な統計」は目にしていない。だが、あくまで、ワクチン接種の始まった当初の事。「ほら、あなたも打たなきゃ」。いわゆる、大いなる同調圧力。その圧力によって、腕を差し出した人が亡くなったとしたら。それは悲しすぎる。そして、本人もさることながら、その人を愛していた人たち、家族の気持ちは？　ほぼ語られないのは、「言ってはならないこと」として、薄闇の彼方に葬られていくのだろうか？

もちろん、ウィルスの感染で亡くなった方達も、無念であるに違いないし、気の毒でもある。しかし、それは疫病である。ワクチンには選択肢があり、意志が伴なった。そして、社会もあった、なんということか。

驚くことに、これまた大いなる勘違いも一時期、大手を振って歩いていた。「ワクチンを打ったの？　あぁ、これで人にうつさなくなったね」。いやあ、違います。こんなことでさえ、知人ではない人には直接言い難く、そっと届くように、ワクチンは自分のため。打ったからといっても、人から、空気からウィルスをもらえば「立派に」うつせます、と伝えねばならなかった。あまりにも多くの人が言うので、不安になって、医療の専門家に問い直したこともあったほどだった。それはさておき。

こんな具合だから、「打ちたくない人」は多くを語らなくなる。何故、打ちたくないか、も人それぞれ。もともと基礎疾患があるため、それならウィルスの危険もあるけど、ワクチンの危険も高いから、医師から止められた。かなり「威張れる」理由だ。この言い方は、冗談である。また、自らワクチンの組成を調べて、「危険だから打ちたくない」人。こっち側の確信理由。また、それぞれの国では、打てるワクチンが限られている。ファイザー、モデルナ、アストラゼネカ。どれが副反応が強いか、致死率はどうか。後者に関しては、途中からわからかなくなった。発表がなくなったからである。それでも、当初、「ちゃんと」発表のあったことは、正直言って驚きでもあった。そんなに亡くなるのか！　という驚きとともに。

つまる所、打つか、打たないか、の選択は、もしそれを本人が自覚的にした場合。それぞれが「ウィルス感染の危険と、打つ危険」を天秤にかけて決定した。それはそれでＯＫだ。まさに、「Agree to disagree」の最たる点だろう。

私も友人とこの話しになるときは、最大限、気をつけて話した。「あなたにはあなたの選択があるのだから」と。他のあらゆることもそうなのだが、こと、CoV-2そして、ワクチンになると、それはとても気を使う話題だった。中には、その意見の相違で、友人を失った、もしくは、やめた人もいるようだった。幸い、私はそうなった人はいない。いや、若干1名、ワクチンの件ではなく、コロナ禍対策に関して意見が食い違ったために、いなくなった知人はいたけれど、そのあたりは、「後でする」話題とともにしたい。

しかし、同時に、なんとなく薄気味悪さも感じる。「打ったよ、無事だったよ、さあ、これで世の中のため、人のためになった」。いや、たとえ、そういう面があるにしろ、それを声高に言えば、「打たない人」は、「世の中のため、人のためになっていない」ことになる。それはないんじゃないか？　そういうことを意識していたら、言えないのではないかな？

ワクチン接種が始まってしばらく後「打たない人を差別してはいけない」という、お達しが、厚生労働省が出していた。偉いと思った。しかし、それにも「形で言ってるだけだから」という人もいて、そうなのか、やれやれである。私には実態は計り知れない。この件に関しては、自分がいかに、物事を信じやすいか、という点だけが自覚される。とは言え、私は、同調圧力にはけっして入っていない、もちろんの事。打つなら、自覚的に打ちたい。人に対しても、どちらも強要したくない。また、私は前の章にも書いた通り、キューバ型のワクチンの存在も知っていたために、いよいよ用心深くなった。

身近な例で言うと、ウチから一番近い町、バスで40分かかるが、で評判の良かったお医者さんが亡くなった。ワクチン接種の翌日。やはり衝撃である。また、これも直接の知り合いではないが、某大好きな音楽家（故人）のドラマーだった人が、三回目の接種の直後に亡くなった。いやぁ憂鬱です。気の毒です。悼みます。しかし、日本での「公に認めてはいないけど、数として示される、ワクチンによる死亡者」というわけのわからない厚労省発表のデータは、1400名と少しで止まってしまった。止まるわけがない。接種者はその後、どんどん増えているのだから。「あんな発表なんて、絶対に信じていない」と吐き捨てるように言った人もいた。日ごろ、優しい人だから、いよいよ印象的だった。また、コロナ禍が始まって、どんな変化があった?という私の問いに「いよいよ、不信感が強まった」と言った人もいた。とてもわかる。もともと、怪しげな発表や、まことしやかな情報は信じないことになれている私も、この人たちのいうことは、とてもよく分かった。

花を愛でる人、パンを焼く人……

この辺で、少し息抜きしよう。

親しい友達数人に、コロナ禍が来てからどのような変化があつた?　一番、印象的だったことは?　まだ過去形じゃないけど、この2年と少し、今の時点で感じていることを訪ねてみた。まあ、答え方からして、千差万別。人って、こうも多様なのかと驚くばかり。

その中で、私にとっても印象的で、素敵だと思えたこと。それはお察しの通り。タイトルにあるとおり。

コロナ禍が始まった時に、日本でもかなりな買い溜め行動も起きたらしく。しかし、私の友人は、そんなことに躍起になるのではなく、こういう時こそ花を飾って心を豊かにしたい、と思ったと。しかも「強く、思った」と書いてあって、素敵だなと感じた。そういうことを、ただ思うのではなく、意志的に、強く思うのがカッコいい。

タイトル二番目の、パンを焼く、は実は私自身のこと。いかんせん、パンデミックが始まってからキューバに出かけて、あちらで幽閉だったから、その頃のことと、帰国後のことはずい分と違う。日本では、じっと家にいないとならないわけではなく、散歩に出かけたければ、行くことだってできる。しかし、やはり危険は避けたいから、なるべく家の中にいる。それまで、こんなに家の中に居続ける経験なんてなかった。

こうなったら、なにか新しいことしたい。まず閃いたのは、以前からやりたかった「糠漬け」。簡単な糠漬けの元を買って漬け始めたら、楽しい、はまる！　なにしろ、今まではゆっくりできなかったことを好きなだけできるのだから、こんなに嬉しいことはない。定番の野菜である、大根、人参、胡瓜などは王道の美味しさだが、珍しもの好きなので、変わったものをつけて遊ぶのが特に楽しかった。椎茸、茗荷、蜜柑！　旨い、半熟卵も。これは、半熟を作る所が勝負のしどころ。

次いで、パン。これは偶然に始まった。なにかと問題ある小麦粉。国内産の無農薬の粉だけ使った。全粒粉だけの時もあれば、他の強力粉をまぜることもあり。費用はそこそこにかさむが、なにより安心して食べられるパン、というのが魅力だ。その気になれば、米粉パンも作れる。さらには、納豆つくり、ヨーグルト。こうして並べてみると、発酵食品ばかりだが、偶然ウィルス対策にも有効なので、いよいよ熱がこもった。また、こういうものを作るのは、家にゆっくりいないとできないので、始めるにはうってつけの時だった。

私の友人たちも、ピアノを始めたり、家のなかでできる趣味の向上を目指す人も多い。私も、幸いなことに家から富士山が見えているので、毎日変化するその姿を写真におさめるのがかなりな楽しみであり、出かけられない条件のなかでもさまざまな変化に楽しみを見つけていた。私に関しては、なにより、この本が一冊書けたことはとても大きい。

とはいえ、人と会い難い状態、というのはやはり、つまらない、物足りない気分がすることは否めず。それの対応として、私は電話で話すことで発散した。人はやはり、肉声を使って話さねば、と思っている。幸いなことに、今は無料で話せるシステムが完備しているので有難い。さあ、「対策話し」はこのくらいにして、再び、現象と思う事、に戻ろう。

高齢者と若者、そしてその未来

最初にお断わりしておく。パンデミックは、世界中、すべての人に押しなべて襲いかかった。誰一人、例外はない。しかし、その中でもこれから人生を生きていく若者には、このウィルスが世界を席巻している間、ずっと不自由な思いをせねばならず、その点においてはとても気の毒である。高齢者がその憂き目にあわないか、というとそんなことはない。ただ、今の今、これから生きていく人生の礎をつくらねばならない人たちが、大きな足枷を持つ、というのは大変なことである、というのはとてもよくわかる。

しかし、それを前提としても、そのような発言、またそれを導き出した考え方、というもので、どうしても納得のいかないものもある。一言でいえば、それは想像力である。他者に対する、である。

ある時、かなり多数の参加者のあるＳＮＳ上で、こんな記事を目にした。そのままは引用しないので、簡潔に短く書く。

「僕のおばぁちゃんは、コロナで亡くなった。しかし、他にも疾患はたくさんあったので、コロナでなくてももう死んでしまっていたかもしれない。僕は、おばぁちゃんが亡くなっても、べつにぜんぜん悲しいとは感じなかった。それより、こうした、もうすぐ亡くなってしまうだろう人たちのために、若くて元気の良い、外に出ていろいろにことをしたい僕たちが、どうして犠牲にならなければいけないのか？　皆、好きに外に出て、好きにしたらよいではないか」

この若者は、「おばぁちゃん」を愛していなかった。それは、そういうことだってあるかもしれない。いかに家族であろうとも。それは仕方ない。しかし、「亡くなっても悲しくなかった」と公言できてしまう神経。ある意味、正直である、ともいえるかもしれない。しかし、その発言が人に衝撃を与えるかもしれない、と考えることも出来なかったようだ。言ってはならない言葉もある、とは思っていないようだ。

それは置いても、その「おばぁちゃん」を発端にした、多くの高齢者、また基礎疾患を持つ人、つまり、今回のこのパンデミックを起こしているウィルスの犠牲になりやすい世の中の人たち、全員に向けられた不満と鬱憤になってしまうことに気づいていないのだろうか。「その人たちを護るために、何故？」と言っている。言いかえれば、「弱い他者のために、自分は人生（の楽しみ？ もしくは計画？：）を犠牲にしたくないのだ」と言うわけだ。先にも記したとおり、気持ちは理解できる。鬱憤もあるに違いない。しかし、そのことと、その鬱憤不満を、吠えたてるように外に向けて発言することには大いなる違いがある。

つまりは、想像力である。自分の発言が何であるか、という想像力。この世には自分以外の苦しんでいる、もしくは苦しむことになる人がいる、ということ対する想像力の欠如。

コロナ禍が始まってから得たものに、失われていた「読書」の習慣が戻ってきたこともある。その時に読んだ一冊。『コロナの時代の僕ら』イタリアの数学者で作家でもある彼は、驚くべきことに、この災厄が始まって間もないころに、この著書を書き上げた。しかも、今読んでもまったく旧くない、よくこのパンデミックが始まった時代にここまでを見通して書くことができたもの、と感心する内容だ。世界的なベストセラーになったことも不思議ではない。その中の、特に「そうよ」と膝を打つ気持ちになるある一説を引用させて頂く。

「ひとりひとりの行動の積み重ねが全体に与えうる効果は、ばらばらな効果の単なる合計とは別物だということだ。アクションを起こす僕らが大勢ならば、各自のふるまいは、理解の難しい抽象的な結果を地球規模でいくつも生む。感染症流行時に助け合いの精神のないものには、何よりもまず想像力が欠けているのだ」（『コロナの時代の僕ら』パオロ・ジョルダーノ著、早川書房　45頁）

つまりは、想像力である。この若者は、おばぁちゃんを愛していなかった。しかし、両親や、もしくは兄弟姉妹は愛していたかもしれない。では、愛する者は大切にしても、自分がそうではなければ、その人はどうなっても良いのか？ 大いなるテーマだ。もし、「その通り」の考えを持っていたとしても、その「考え」を外に出さない優しさと配慮は欠如していたようだ。ある、大好きな音楽家が口にしていたこと。「今の時代にもっとも必要なのは、優しさと、愛だよね」

まさしく。想像力とは、優しさや愛を伴って表れるものである。他者への思いそのものである。ノーベル科学賞も受けられた、山中伸弥氏も「他利の訴え」をされていたが、あまり広まらなかったようだ。氏は、感染を抑え、少しでも亡くなる人を減らすために、本気で必死に訴えられていたと思うのだが、その真意が伝わり難い世の中になっていたのだろうか。

……今、欲しい色は、優しいブルーや淡いピンク……ふと、そんなことも思った。

もう少し、重苦しい話しにお付き合いいただきたい。感染者がどんどん増えている頃。かなり頻繁に目にする、悲しいニュースがあった。高齢者施設に滞在していた方が感染し、病院に運び込まれたが、ベッドの空きはなく、施設には他の方への感染を考えて返せないために、自宅に運ばれた。そして、亡くなった……たぶん、この手の出来事は、ニュースで目にするよりももっと多くあったのだろう。

少し個人的な話になる。私はこの記事を目にして悲しい衝撃を覚え、「なんとかして欲しい、なんとかならないものかしら？　こんなことがたくさん起きて、良いわけはないですよね？」そんな気持ちを込めて……しかし言葉にはせず、この記事そのものと、アップすれば自動的に入る写真とだけで紹介した。そして、思いを同じくする人たちが、「なんとかして」と広めて欲しいため、友人に「できれば、シェアして広めて欲しい」と投げかけた。

しかし……断られた。驚きだった。何故、その人に投げかけたかといえば、「高齢者と、若者、双方のボランティアをされていた人だったから」

当然、シェアしてくれる、とばかり思っていたが。その答えがこうだった。「人にはそれぞれの考え方があります」

あまりにも当然な答えでありながら、では何故、この記事に関して断るのか、聞いてみたくてしばらくやり取りした。私は「理解を得られるために」したのだが、あちらはそうは思わず、私がシェアを強要している、とでも思ったのか、ついに「SNS上の友人関係」は終わりになった。私ははっきり言って、想像外のことだったし、とても不可解な物語である。そうなるとは思ってもいなかった。私は、コロナ禍に入ってから、友人を「意見の相違」で失ったのは、この人一人である。しかも、この後、関係を修復したくて、その人の所への書き込みを自然な形でできる時にし続けてみたが、あちらからの私に対する応答はゼロになった。このことも驚きである。私はそこまでのことはしていない。そして、新たに関係性への努力もしているのに、それを頑なに断る。不可解なこともあるものだ。

また、同時にこの「事件」で得た友人もいた。

同じように「シェアしてくれますか？」と訊きつつ、先に書いたようなことを伝えてみた。ほっとするような嬉しい反応が来た。自宅で亡くなった高齢の方に対して、

「本当にお気の毒です。こんな人が減ってくれるように、シェアします。もしこの方が亡くなっ

たとしても、自宅に放置されて亡くなるのと、大切にされた、という記憶とともに亡くなるのとでは、雲泥の差があります」

なんて、優しい子なんだ、ととても嬉しくなった。しかも、明快な答えと、そして、私の気持ちへのシンパシーも示してくれた。私は、この人と、気持ちのつながりの持てる友人になった。人はそれぞれ、千差万別、確かに！

この頃、私たちは、この事を痛いほど感じたはずだ、皆。

ときどき、わたしたちは、コロナ禍の中で、さまざまに鍛えられ、試されている、とも感じることがある。今、この時にはっきり、なにが大切で、何を目指して生きていくか、そのことをしっかり突き止めておかなくては、この体験はただの災厄、疫病の災禍で終ってしまう。だから、いろいろな事を感じ、発言している若者にも、同じことを感じ、考えて欲しい、と思うのだ。その若者の将来に関しても。あの若者は、将来、自らが高齢者になった時に、自分の言ったこと、考えたことをどのように思い出すのだろうか？

健康的になった！　カミングアウト

病の話で「健康的」は変だが。

しかし、そう感じることがある。CoV-2ウイルスが、この世に発生し日本でも最初の感染者がでた当初、2020年の1月と、今、つまり3年近くが経過した現在で大きく変化したこと。

それは、罹患した人が、しっかり外に向かって「罹りました！」と言えるようになっていること。とはいえ、これは特に、東京を中心とした都市部に言えることで、地方により違いはあるようだが、その点は後で触れる。

とにかく、以前は罹ればまるで犯罪者のような視線で見られていたものが、「罹ったの？　それは大変、お大事にされてくださいね」という至極当然なやり取りが普通に成立するようになった。これは胸をなでおろすことである。

再度、キューバでの話になるが。最初に罹患した人が発生したのは、本文中にも書いた通り、海外からの旅行者だった。続いて、今度は海外から帰国したキューバ人の罹患が発見され始めた。その時に目を瞠ったのは、その人がテレビに出ていたことである。確かに悲しそうだった。「僕は自分が罹患していることを知らずに帰国し、家族にもうつしてしまった」と。

しかし、こうして堂々とテレビに出てくることのできる社会、というのに胸を揺さぶられる想いをした。「大丈夫なんだ、キューバでは！」。その事実への強烈な印象は、忘れられない。

一方では、日本から聞こえてきた嫌なニュース。もし罹ったら、村八分。家の扉に紙を貼られたり、窓ガラスを割られたりする、辛くて引っ越しを余儀なくされる人もいる……本当？　もう信じられないショックだった。戦争中や、なにかの事件があった時には過去にも出現していた、それらの行為。それが、こうして世界的なパンデミックの最中にも起きる!?　そう、１００年に一度のパンデミックで、ほぼすべての人が初の体験である。だから、たぶん、過去の世界的病の時にも、同様の事が起きていただろう。だからと言って、赦してよい行為ではない。

キューバにいながら、この事実を知った時、悲しかったし、恥ずかしかったし、憤りもした。

その時のSNSの日記に、こう記している。

「罹ってしまった人は、それだけでも十分に辛い。大変な想いをしているのに、そこにまだ追い打ちをかけるなんて、あんまりでしょう」。その通りだと思う。

その後、日本に帰国するかどうか、するとしたらいつにするか、もしくはしないか。そんな選択が迫った時に、「いまひとつ、帰りたくないいんだけど」と思った理由の一つはこれだった。

ただ、一つだけ、付け加えておく。キューバでも、まったく偏見がないわけではない。何故なら、某、若くて人気のある音楽家さんが突然、亡くなってしまった。原因は公表されず、夜中に亡くなって、夜明けには荼毘に付された。その速さに、皆が「そうだったのではないか」と噂した。つまりは、「それで亡くなった」と言われたくない、つまりはそこに偏見があるから、だった。

しかし、その話を伝えてくれた人の雰囲気も、また巷の視線も、じっとりとした嫌ぁ〜な感じの漂うものではなくて、「実はねえ、こうなのよ」というほぼ世間話しのようだった。しかし、その人の実家が、実は私の住んでいたカサの前の通りの向かい側から3軒隣で、「今日は盛大にさよならパーティをするから、少しうるさいかもしれないわ」と言われた時には、ちょっとビビった。それは、石を投げたり、紙を貼ったりするのではなくて、純粋にうつりたくない、感染も広がって欲しくない、というものだったのだけれど。

そして、時を今にうつそう。

ほっとするようなこと。それは皆が自然に「罹りました」と言えるようになった環境。あくまで、私の周囲でのことだが、最初の最初はいつ頃だったか。それは地域は言わないけれど、けっこう人が集まる音楽のパーティをした人たちの中で、複数の感染者、つまりクラスターが発生した時だと思う。

そこに集った人は、当然、「濃厚感染者」として知らせは受け取っているし、検査もしている。しかし、自分が発症していなければ、あえて自ら騒ぎ出すことは控えるだろう、当然のこととして。だが、その中の一人が「実は罹りました！」といわゆる「カミングアウト」をした。そうすると、当然、どこでだったかはわかるので、全員ではなかったけれどかなりの人が「そうなのでした」と名乗りを上げ、また、あるべき姿つまり「大変ね、大事にしてね、祈ってます」というような、そういう反応が起こった。

これができるようになった、というのは素晴らしいことだったと思う。

ただし、言うか、言わないかは、その人の自由だしプライバシーだし「言った方がいい」などとは言わない。ただ、言っても大丈夫である環境がある、ということが喜ばしい、と言いたい。

地域の差も大きいだろう。以前から、例の「石を投げる」現象は田舎に行くほど凄い、とは聞いていたが、あっさりとカミングアウトしやすくなったのは、やはり日本の中ではもっとも大きい都市、東京だったと思う。私の知り合いの中では、数多くの音楽家さんが、どんどん「罹りました発言」し始めた。「罹りました」ではなくても、「熱が出たので検査します」、「症状はありませんが、陽性でした」もあった。皆が心配や、いたわりのコメントをした。これができる環境こそ、健康的である、と言いたいだけだ。カミングアウトしなければいけない、とは言っていない。

ただ、隠していないとならない環境、とはなんと窮屈なことだろうか。ただ、「言う」人たちは、自らの影響力の責任も思うかもしれない、とは感じる。たとえ、保険所から報せが行かなくても、「それなら検査したほうがいいかもしれない」と思える人たちの、選択の自由のためだ。

付け加えると、まだ、感染がさほどポピュラーではない時に罹ったある人が、ひた隠しにしていた。というのも、ずっとSNS上で、まるで健康で元気にしているかのような発信を続けていたからだ。それを知った時には、ショックだった。「そんなことしてていいんだろうか？」とは思った、正直に言って。しかし、後にその想いは、「隠していないとならなくて、大変だったんだね」に変化した。パンデミックは、人を育てることでもある。

もちろん、隠すのがいけない、とも言っていない。つい先日、ごく親しい、でも住む地域が離れているため、ご無沙汰していた友人が実は罹っていた、と知った。「えっ、そうなの？ 知らなかった！　SNSで書いていた？」と訊いた。私にとっては、「言うこと」のほうが普通になっていたからである。しかし、相手は「いいえ！　そんなこと、言いませんよ」と言った。そうなのか、やはりあちらでは、言いにくいんだね。そう、あっさり私が思えたのは、それも、私の考えや経験が「こなれてきていた」せいである。また、その人が、ほんの2～3日でけろりと治ることができたせいもある。良かったね。

さらに、勝手なことを言わせていただければ、自然免疫獲得で、出かけやすくなる。「おう！」でもそれは、うまく、ちゃんと治すことができて、しかも、後遺症もないから言えることで……罹らない方がいいです、まじめに考えれば絶対にそうです。また、自然免疫も、どのくらいの期間、有効性があるのかはまだはっきり知られていないし、個人差もある事だろう。

　この友人は、その後、合計三回罹ったと教えてくれた。「一日のうちに、かなり高熱、平熱に近いことがなんども繰り返されて、他の何とも似ていない。年齢の高い人は、それだけで身体がついていかず、ダメになる可能性がある」と詳しく体験を教えてくれた。有難い。

　そして、安心できないニュースもある。以前は、自然免疫は、ワクチンの免疫よりも、強いというのが常識だった。しかし、その後、免疫学者でおられる小野昌弘氏が、その著書『パンデミックの「終わり」と、これからの世界』の中で、ブラジルのアマゾンでの事例をあげ、このCoV-2ウィルスに関しては、自然免疫で、集団免疫を獲得出来なかった、と書かれている。なんとも憂鬱な「例」である。もし、これが世界的な例に当てはまるのであれば、これほど感染の拡がった、現在世界一の感染者を生んでいる日本は、そのうち「集団免疫を獲得して終れる」期待もあるのに、そうではないからだ。あくまで、「もし」だが。もちろん、日本でもしっかり「終焉」を迎えて欲しい。なんとかしてでも、である。

　ここで少し、キューバを離れて日本の事も考えたい。２０２２年の夏に始まった、第七波の凄まじい感染拡大。緊急事態宣言か、もしくはどういう対策を建ててくれるのだろう、という期待とは裏腹になにも起きなかった。「何故?」友人に話しても、「いいえ、もう終わったようなものですから、皆どんどん普通にしていますよ」などという、無責任な答え。いいえ、感染は広まっているし、死者も出ている。それをすべて無視したような見解はオカシイでしょう。

　でも、その頃からもう始まっていたのだ。「なんでもないのさ」という洗脳は。

すべてが、明確ではなく、ずぶずぶと「成り行き」で進みやすい日本。その事を見越しているようで、なんとも気持ち悪い。もし、このまま「もうどおってことないから、ほら、皆、いつもと同じ状態に戻りつつあるので、そうするのが良いのですよ」というそういう空気が蔓延したら、それは、感染の終わりは来ない、それだけではなく、今までにもなんどか書いてきた、「弱者は切り捨て」そのものになるだろう。いろいろな表現や、まことしやかな理由も出てくる。「経済を回すため」？　いかにもだが、やはり一方では必要でもある、しかし、もっと別の方法もあったはずの、そんな勝手な政策が、いつの間にか、「普通で、当たり前」になり、そして、感染は収まらない日本。ヨーロッパの事は、正直言って、現場も観ていないし、しっかりと把握できない。国による違いもあるだろう。しかし、それらの国が、そうしているからと言って、それが「正しい」わけではない。

正直言って、憂鬱な今の日本である。もちろん、ちゃんと良い方に変化して欲しいが、そうなるまでにどのくらいの犠牲が払われるのだろう？　もう、自らを自らでまた、守るしかなくなってきてしまった。パンデミックの終焉までは、今までの例で言うとだいたい3年かかっている、と言われている。この原稿を書いている時点ではまだ3年は経過していない。どうか、おさまって欲しいが、さらに言いたいのは、それまでに払われる犠牲も最小限にしてほしい、ということだ。もちろん、犠牲になるのは、「弱い人」である。その方達を切り捨てようとする社会であってほしくない、と心から思う。

キューバは今。さらなる、「国の開放」に向かっている。羨ましい一方で、ほんの少し不安でもある。

もし、キューバで感染が再燃したりしたら、ユートピアがなくなってしまう。

私はその危惧をそのままメールに書いて、駐日のキューバ大使館に送った。「ありがとう、心配してくれて、大丈夫ですよ」。本当にこのまま続いてくれると良い、と心から思う。

最後に、もう一度、音楽家さんの言った言葉。

「今、生きる上でもっとも大切な事。それは楽しさと優しさ」

その点では間違いなく、キューバは立派に機能している。幸せな国だ。

とても大切なあとがき

こうしてこの本の原稿の校正をしている最中も世界とキューバの情勢は刻々と変化し、キューバはとうとうでは新規感染者0を達成し、何日間もそれを更新し続けている。嬉しい限りだ。そのままだとすれば、ほぼ抑え込みに成功と言ってよいだろう。ただ、将来、未来を予測できる人はこの世にいないので、これがずっと続いてくれることを祈るばかりだ。

このニュースを聞くとたいていの人が「どうして?」と尋ねる。当然だろう。そして、それはキューバ独自に開発されたワクチンのお陰なのだ。キューバ保険省と、フィンレイワクチン研究所部長のダグマール・ガルシア・リベラ博士の教えを頂いて以下記す。

キューバ独自のワクチンは、タンパク質組み換えワクチンであり、通常のタンパク質組み換えワクチンと同様に副反応は出るが大事に至るものはほぼない。ワクチンによる死者は0であり、ワクチンの効果も大きかった。オミクロン株への有効データもある。名前はSoberana01, Soberana Plus,Soberana02,（この名前は独立運動の英雄であり詩人であったホセ・マルティの詩からとられた）。タンパク質組み換えワクチンは世界で他にもあり、米国のNovavax また、日本の塩野義も同様である。ただし、抗原と免疫反応を促進するアジュバン

＊トが違っている。キューバのSoberana02は、破傷風トキソイドと結合したスパイクたんぱく質のRBDを抗原として用い、免疫応答が著しく改善された。小児用に特別に設計されたものである。他国と同様、感染の主なものが家族内であることを見て取ったキューバは小児にも打てる安全なワクチンの開発によって、それを抑えた。そして、ついに新規感染者0までに至ることになった。キューバはもともとワクチンの開発においては先進であり、肺がん、その他のワクチンの開発でも知られる。

もちろん、抑え込みに至った理由は一つだけではなく、2020年感染が始まった時に、私も体験した通りかなり徹底したロックダウン。マスク着用（現在のキューバではしている人は少なく、また義務もない）。また「お家にいましょう」キャンペーン中に人々を元気づける楽しいサービスや番組。「もし精神的に参った人は連絡してね」とそちら方面のケアもあった。また、研究者と政府の連携の力も大きい。

この本の前半、ハバナの下町歩きの部分。実を言うと「何を書くか」を決めずに書き始めてしまった。書き始めて気が付いたのは、私はセントロやベダードの下町の、特に「アフリカ系の文化、つまりアフロ・キューバンの匂いの強い場所と通り」を描きたがっている、という事だった。無意識のうちにそうなってしまったのである。これは、アフリカはナイジェリアの「ヨルバの人々」の文化を起源とする多神教の神々オリシャ（キューバ発音オリチャ）のなせる技に違いない。なにしろ、私がルーツのナイジェリアを起点に、ブラジルもそして、キューバも訪れることになった理由がそれだったのだから。これが書けたことでとても幸せな気持ちになっている。有難い。ホテル幽閉状態の最終段階で、ヨルバの青年まで「遣わして」くれた。なにかある、とは思ったがこんなことになった。

今の世界は、日本も含め、人々は皆、早くこの疫病が去って欲しいと胸を熱くし首を長くして待っている。なんとか終って欲しい。そして、それまでに少しでも犠牲になる人が少なくあって欲しい、と強く願う。その希望を示してくれているキューバ、そしてこの本を著すことを推し進め出版して下さった彩流社の竹内淳夫氏、そしてここに登場し出会った全ての人々に深く感謝いたします。

＊　アジュバント（Adjuvant）
ラテン語の「助ける」という意味の Adjuvare を語源に持つ言葉。ワクチンと一緒に投与して、その効果（免疫原性）を高めるために使用される物質。（東大医科学研究所・ワクチン科学分野の解説）

〔著者紹介〕

板垣真理子（いたがき　まりこ）写真家　文筆家

1982年ジャズの音楽家を撮影することで写真の世界に入る。パット・メセニー、キース・ジャレットのカレンダーなどを手がける。1983年西アフリカ、ナイジェリアの音楽に触れたことでアフリカ行きを決意。翌84年からナイジェリア一周を始め東西南北のアフリカへ通い始める。ナイジェリア西部ヨルバの神々が大西洋を渡り「新しい土地」で根付いていることを知り、1988年からブラジルの北部バイーア地方に長期滞在。後、1998年からキューバに通い始める。80年代からヨルバ神の世界に注目し、大西洋を挟んだ両大陸を訪れてリポートを始めた稀有な存在としても知られている。

著書、写真集、写真展多数。キューバには24年前から通い「激変」を見届けるため2015年から3年半を超えて住み、『キューバ、愛！』（作品社）、『キューバ、甘い路上』（フィールドワイ）、『キューバへ行きたい』（新潮社）、『キューバ　アモール』（彩流社）がある。

website/Mariko Itagaki Photographer-Wix.com

キューバ　ハバナ下町《したまち》（ヨルバ通《とお》り）歩《ある》きとコロナ禍《か》の日々《ひび》

2022年12月5日　初版第1刷発行　　定価はカバーに表示してあります

著　者　板垣真理子

発行者　河野和憲

発行所　株式会社　彩流社

〒101-0051　東京都千代田区神田神保町3-10　大行ビル6F

電話　03 (3234) 5931　FAX　03 (3234) 5932

http://www.sairyusha.co.jp

印刷　明和印刷㈱

製本　㈱村上製本所

装幀　渡辺将史

落丁本・乱丁本はお取替えいたします　　ISBN978-4-7791-2870-7 C0026